# Table des Matières

# Introduction

Vous parlez français?

Vous comprenez?

How much French do you remember after your school holidays?
Do you sometimes find French difficult?

You might be surprised by how much you can understand and
how easily you can understand it.

    **1**  Look at the dialogues. Can you understand them?

**A**

**B**

> *Nicole:* Ce tee-shirt, s'il vous plaît.
>
> *Vendeuse:* Cent quarante-neuf francs,
> s'il vous plaît.

> *Alain:* C'est bien le bus pour
> Cannes?
>
> *Une passagère:* Non, c'est le bus pour
> Antibes. Le bus pour Cannes
> est là-bas. C'est le numéro
> cinq.
>
> *Alain:* Merci, madame.

**C**

Benoît: Le film commence à
quelle heure?

Jean-Paul: A dix-huit heures.

**D**

Danielle: Le train pour Paris part de
quel quai, s'il vous plaît?

Employé: Quai numéro trois.

2 So, how much did you understand? Try this.

   a Look at the photos.
     Do they help you to understand?

   b Look at the words in red. They are the same or
     nearly the same as the English word.

   c Try to understand the whole conversation.
     Remember, you do not need to know the exact
     meaning of each word to understand what is
     going on.

# Encore des dialogues

1 Here are two more dialogues. Read each dialogue and explain to your partner what is happening. Use some of the ideas from page 2 to help you.

**E**

*Pierre-Yves:* Vous avez de la place pour une tente?

*Gardien:* Pour combien de nuits?

*Pierre-Yves:* Pour deux nuits.

*Gardien:* Oui, monsieur.

**F**

*Réceptionniste:* Vous avez réservé?

*Madame Fontaine:* Oui.

*Réceptionniste:* Votre nom, s'il vous plaît?

*Madame Fontaine:* Fontaine.

*Réceptionniste:* Oui, Madame Fontaine. Chambre numéro six.

**2**  The dialogues, so far, have had photos with them.
These have helped you to understand.
Now try to understand these dialogues with no photos to help.

Use your common sense to guess the words you don't know.

**G**

> *Joël:* Qu'est-ce que tu aimes faire?
>
> *Stéphane:* J'aime jouer au rugby.
>
> *Joël:* Au rugby! Moi, je déteste le rugby.

**H**

> *Aïcha:* Tu as un job?
>
> *Sandrine:* Oui, je travaille dans un restaurant.
>
> *Aïcha:* Tu gagnes beaucoup d'argent?
>
> *Sandrine:* Cent francs. J'achète des cassettes et des jeux vidéo.

**3**  How much did you understand?
What do you think these two questions mean?

**A  Qu'est-ce que tu aimes faire?**

**B  Tu gagnes beaucoup d'argent?**

You can often work out, from the answer, what the question means. Try working it out with a partner.

You see, it is quite easy to understand French. You will meet dialogues like these over the next two years. When you see them again, you will already understand them.

 **4**  Now practise all the dialogues (A–H) with the cassette.

    **a**  Listen to them and read them at the same time.

    **b**  Listen and pause the cassette. Repeat each sentence in the pause.

    **c**  Try to read the dialogue at the same time as the cassette.

    **d**  Try acting out each dialogue with a partner.

    **e**  Copy the last two dialogues and draw a picture or find one from a magazine to help someone else understand them.

**You are now ready to start the book.**

# Glossary of instructions

## A

| | |
|---|---|
| Ça vous aide. | This will help you. |
| Dans cette unité, vous allez apprendre à... | In this unit you will learn to... |
| Améliorez les dialogues. | Improve the dialogues. |
| Répétez après la cassette. | Repeat after the cassette. |
| Pour apprendre les phrases... | To learn the phrases... |
| Au secours! | Help! |
| Répétez avec la cassette. | Repeat with the cassette. |

## B

| | |
|---|---|
| Recopiez les phrases mais laissez un blanc. | Copy the phrases leaving a gap. |
| Indiquez la bonne phrase. | Point to the correct phrase. |

## C

| | |
|---|---|
| Ça va? | O.K? |
| Ça vous aide. | This will help you. |
| C'est à vous. | It's your turn. |
| Recopiez les questions ci-dessus. | Copy the questions above. |
| Changez de rôle. | Change roles. |
| Vous pouvez simplement changer les mots en rouge. | You can simply change the words in red. |
| Choisissez quatre symboles. | Choose four symbols. |
| Décrivez le climat. | Describe the climate. |
| Cochez les phrases. | Tick the phrases. |
| Si vous ne comprenez pas les phrases... | If you don't understand the phrases... |
| Vous comprenez tout? | Do you understand everything? |
| Vous connaissez déjà les phrases essentielles. | You already know the key phrases. |

## D

| | |
|---|---|
| Décrivez le climat. | Describe the climate. |
| Devant la classe | In front of the class |
| Inventez un dialogue avec des dessins. | Invent a dialogue with pictures. |
| Répétez ce dialogue. | Repeat this dialogue. |
| Lentement et distinctement | Slowly and clearly |

## E

| | |
|---|---|
| Ecoutez. | Listen. |
| Revisez encore un peu. | Revise a bit more. |
| En groupes | In groups |
| Vous entendez les questions. | You will hear the questions. |
| A l'envers | Face down |
| Essayez de jouer le dialogue. | Try to act out the dialogue. |
| Les phrases essentielles | The key phrases |
| Expliquez les phrases. | Explain the phrases. |

## F

| | |
|---|---|
| Fermez vos livres. | Close your books. |

## G H I

| | |
|---|---|
| Recopiez cette grille. | Copy this grid. |
| En groupes | In groups |
| Par groupes de six | In groups of six |
| Inventez un dialogue avec des dessins. | Invent a dialogue with pictures. |

## J K L

| | |
|---|---|
| Jouez les dialogues. | Act out the dialogues. |
| Lentement et distinctement | Slowly and clearly |
| Lisez le dialogue. | Read the dialogue. |

## M N O

| | |
|---|---|
| Voici les mots. | Here are the words. |
| Notez les réponses. | Note down the answers. |
| Les objectifs | The objectives |

## P

| | |
|---|---|
| Par groupes de six | In groups of six |
| Les phrases essentielles | The key phrases |
| Vous posez les questions. | You ask the questions. |

## Q

| | |
|---|---|
| Vous entendez les questions. | You will hear the questions. |

## R

| | |
|---|---|
| Recopiez cette grille. | Copy this grid. |
| Recopiez les questions ci-dessus. | Copy the questions above. |
| Regardez dans votre livre de travail, page 16. | Look at your workbook, page 16. |
| Regardez le sommaire, page 15. | Look at the summary, page 15. |
| Répétez ce dialogue. | Repeat this dialogue. |
| Voici les réponses. | Here are the answers. |
| Révisez encore un peu. | Revise a bit more. |
| Une unité de révision | A revision unit |
| Changez de rôle. | Change roles. |
| Changez les mots en rouge. | Change the words in red. |

## S

| | |
|---|---|
| Sans la cassette | Without the cassette |
| Au secours! | Help! |
| Seulement les réponses | Only the answers |
| Vous pouvez simplement changer les mots en rouge. | You can simply change the words in red. |

| | |
|---|---|
| Voici le sommaire. | Here is the summary. |
| Regardez le sommaire, page 15. | Look at the summary, page 15. |
| Soulignez les mots. | Underline the words. |

## T

| | |
|---|---|
| Travaillez avec votre partenaire. | Work with your partner. |

## U V W X Y Z

| | |
|---|---|
| Répétez pour vérifier. | Repeat to confirm. |
| Voici les réponses. | Here are the answers. |

# Unité 1
## Un job à Nice

Vous allez travailler dans un office du tourisme à Nice.

Vous arrivez à Paris en avion.

Vous prenez le train de Paris à Nice.

## Les objectifs

Dans cette unité, vous allez apprendre à :

**1** demander l'heure de départ et l'heure d'arrivée des trains.

**2** acheter un billet.

**3** comprendre les annonces.

**4** comprendre les panneaux.

# Objectif 1 L'heure de départ, l'heure d'arrivée

Vous êtes à Paris.  Vous allez à Nice.  A quelle heure?

Vous posez les questions.

## Les phrases essentielles

• Le train pour Nice part à quelle heure?

Vous comprenez?
Si vous ne comprenez pas une phrase,
regardez le sommaire, page 16.

• Le train pour Nice arrive à quelle heure?

## Apprenez les phrases

 **1** Recopiez les deux questions ci-dessus.

 **2** Soulignez les mots différents dans les
deux questions.

 **3** Ecoutez et indiquez la phrase que vous entendez.

Exemple

 Le train pour Nice part à quelle heure?

 **4** Vous êtes à la gare de Lyon, à Paris.
Vous allez à Nice.
Quelle question est plus importante pour
vous?

> **A** Le train part à quelle heure?
>
> **B** Le train arrive à quelle heure?

**a** Recopiez les deux questions.

**b** Ecoutez les dialogues sur la cassette.
Cochez (✓) les questions A et B quand
vous les entendez.

 **5** Ecoutez la cassette, répétez lentement et
distinctement:

**a** la question A.

**b** la question B.

---

### C'est à vous

**6** Vous voulez visiter
Cannes ou Grasse?
Posez ces questions.

• Le train pour Cannes
part à quelle heure?

• Il arrive à quelle
heure?

---

# Le train pour Nice part à quelle heure?

Vous comprenez les numéros?
Révisez un peu.

## Apprenez les phrases

 **1** Vous êtes à la gare de Nice. Vous voulez des informations. Vous prenez un ticket. Vous avez le numéro 45. Levez la main quand vous entendez votre numéro.

 **2** Répétez les numéros après la cassette.

 **3** Répétez seulement les numéros que l'on peut diviser par deux (÷ 2).

*Exemple*

Vous entendez: 44, vous répétez.
Vous entendez: 43, vous ne répétez pas.

 **4** Et l'heure? Ecoutez et répétez le dialogue.

> *Vous:* Le train pour Nice part à quelle heure?
>
> *L'employée:* A treize heures vingt-quatre.
>
> *Vous:* Il arrive à quelle heure?
>
> *L'employée:* A vingt heures vingt-deux.

## C'est à vous

**5** Travaillez avec votre partenaire.
Inventez un dialogue.
Vous avez un horaire des trains de Londres en Ecosse.

| Mondays to Fridays | | |
|---|---|---|
| London Kings Cross | | 1400 |
| London Euston | | —— |
| Stevenage | | —— |
| Peterborough | | —— |
| Doncaster | | —— |
| York | | 1554 |
| Northallerton | | —— |
| Darlington | | 1621 |
| Middlesbrough | | 1717 |
| Durham | | —— |
| Newcastle | | 1652 |
| Sunderland | | 1726 |
| Alnmouth | | 1822a |
| Berwick | | 1737 |
| Dunbar | | —— |
| Edinburgh | arrive | 1829 |
| | depart | 1834 |
| Motherwell | | —— |
| Glasgow Central | | —— |
| Glasgow Queen Street | | 1950 |
| Dundee | | 1949 |
| Aberdeen | | 2110 |
| Stirling | | 1935b |
| Perth | | 2025h |
| Inverness | | —— |

*Exemple*

> **A:** Le train pour Edimbourg part à quelle heure?
>
> **B:** A quatorze heures.
>
> **A:** Il arrive à quelle heure?
>
> **B:** A dix-huit heures vingt-neuf.
>
> **A:** C'est quelle gare, à Londres?
>
> **B:** C'est la gare de King's Cross.

# Objectif 2  Acheter un billet

Vous allez acheter un billet.
Que dites-vous?

## Apprenez les phrases

 **1**   Ecoutez la cassette. Vous êtes à la gare de Lyon, à Paris.
Vous achetez votre billet pour Nice.
C'est quel type de billet? Un aller simple ou un aller-retour?
Ecoutez les personnes devant vous. Ça vous aide?

 **2**   Ecoutez et répétez après la cassette:

   **a**   les aller-retours.     **b**   les allers simples.

 **3**   Regardez ce dialogue et écoutez la cassette.

> *Vous:*   Un aller simple pour Nice, s'il vous plaît.
>
> *Employée:*   Un aller simple pour Nice?
>
> *Vous:*   Oui, c'est combien?
>
> *Employée:*   C'est quatre cent soixante francs, s'il vous plaît.
>
> *Vous:*   Quatre cent soixante francs?
>
> *Employée:*   Oui, quatre cent soixante francs.
>
> *Vous:*   Merci. Au revoir.

> Au secours!
> cent = 100

   **a**   Répétez le dialogue après la cassette.

   **b**   Répétez le dialogue avec la cassette.

   **c**   Répétez le dialogue seul(e), sans la cassette.

 **4**   Un train arrive! Ecoutez la cassette et répétez très
distinctement le dialogue.

 **5**   Regardez le dessin et recopiez les phrases (A et B). Vous écrivez
aussi les phrases en anglais ou vous faites un dessin à côté de
chaque phrase?

Exemple

Un aller simple pour Nice.

 **6**   Recopiez les phrases, mais laissez un blanc.

Exemple

Un _____ simple pour Nice.

Fermez ce livre. Complétez les phrases.

**Unité 1**
11  onze

# Objectif 3  Comprendre les annonces

Vous comprenez les annonces à la gare?

 **1** Attention! Ecoutez la cassette et regardez les deux annonces (C et D).

**a** C'est simple. Faites attention seulement aux mots importants. Recopiez les annonces. Soulignez les mots importants.

**b** C'est correct? Regardez.

> **A** Attention! Le train à destination de Nice part du quai numéro huit dans deux minutes.
>
> **B** Attention! Le train à destination de Gap a vingt minutes de retard.

 **2** Vous êtes à la gare. Ecoutez et notez les informations pour trois clients anglais. Les clients vont à Grasse, à Nice et à Marseille.

**3** Vous attendez le train pour Paris. Il y a un problème. Ecoutez et expliquez le problème à votre partenaire, en anglais.

# Objectif 4 Comprendre les panneaux

Buffet

 **1** Vous comprenez? Cherchez les mots qui ressemblent aux mots anglais.

Exemple

Réservation

    **a** Recopiez ces mots. Ecrivez ces mots en anglais.
Vous pouvez deviner les autres?

    **b** Utilisez les symboles. Ecrivez les mots en français avec un symbole et écrivez aussi les équivalents en anglais.

    Tous les mots sont corrects? Regardez le sommaire, page 16.

## Apprenez les mots

 **2** Jouez aux cartes avec un(e) partenaire.

    **a** Regardez les panneaux. Ecrivez chaque phrase française sur des cartes.

Exemple

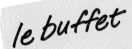

    **b** Maintenant, écrivez l'équivalent en anglais sur d'autres cartes, une phrase sur chaque carte.

    **c** Dessinez un symbole pour chaque phrase sur d'autres cartes.

Exemple

Vous avez 21 cartes.

    **d** Posez toutes les cartes sur la table à l'envers.
Trouvez les mots français, les mots anglais et les symboles qui vont ensemble.

Exemple

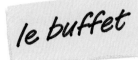  

Accès aux Quais

"..." **3** Un aller-retour pour Paris.
C'est combien?

Vous aidez trois jeunes clients
anglais à l'office du tourisme
à Nice.
Ils ne sont pas riches.
Ils achètent un billet pour Paris.

**a** Vous avez les renseignements
ici. Regardez ce dépliant.

**b** Expliquez en anglais comment
les clients peuvent avoir une
réduction.

**c** Il y a des mots que vous ne
comprenez pas?
Choisissez les phrases
importantes.
Expliquez ces phrases.

**Pour les 12-25 ans**

Pour voyager à prix réduits, la SNCF vous propose:
- **Carrissimo** si vous pensez voyager souvent.
- **les prix Joker** si vous pensez voyager peu.

### Avec Carrissimo: jusqu'à 50% de réduction sur toute la France.

Carrissimo existe en deux formules, valables 1 an:
- **Carrissimo 4 trajets: 190 francs.**
- **Carrissimo 8 trajets: 350 francs.**

### Ou bien sûr, avec Joker: jusqu'à 60% de réduction sur 265 relations.

- En réservant au moins 8 jours à l'avance: jusqu'à 40% de réduction.
- En réservant au moins 30 jours à l'avance: jusqu'à 60% de réduction.

# Vous comprenez tout?

## Activité 1

Vous êtes à la gare de Lyon, à Paris.
Vous attendez le train pour Nice.

**a** Ecoutez les renseignements.

**b** Expliquez-les à un voyageur anglais.

| | Destination | Départ | Arrivée |
|---|---|---|---|
| 1 | Marseille | | |
| 2 | Toulon | | |
| 3 | Paris | | |
| 4 | Lyon | | |
| 5 | Antibes | | |

## Activité 2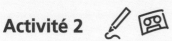

Vous êtes à la gare à Nice.
Vous posez les questions pour les clients.

**a** Recopiez cette grille.

**b** Ecoutez la cassette et notez les réponses.

## Activité 3

**a** Jouez ces deux dialogues avec votre partenaire.

**Dialogue 1**

A: Gap?

B: 10 h 40

A: à Gap?

B: 13 h 30
→ ou ⇄ ?

A: → F?

B: 400F

**Dialogue 2**

A: Lyon?

B: 16 h 25

A: à Lyon?

B: 22 h 10
→ ou ⇄ ?

A: ⇄ F?

B: 700F

**b** Inventez d'autres dialogues avec votre partenaire.

## Activité 4

Votre client ne comprend pas les panneaux à la gare.

**a** Recopiez les panneaux pour lui.

**b** Ecrivez les mots en anglais.

# Voici le sommaire

## Objectif 1  L'heure de départ et l'heure d'arrivée des trains

Le train pour Nice part à quelle heure?

Il arrive à quelle heure?

A vingt heures trente.

What time does the train leave for Nice?

What time does it arrive?

At eight-thirty pm.

## Objectif 2  Acheter un billet

Un aller simple pour Nice, s'il vous plaît.

Un aller-retour.

C'est combien?

A single ticket for Nice, please.

A return ticket.

How much is it?

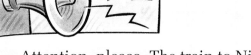

## Objectif 3  Comprendre les annonces

Attention! Le train à destination de Nice part du quai numéro huit dans deux minutes.

Attention! Le train à destination de Gap a vingt minutes de retard.

Attention, please. The train to Nice will leave from platform eight in two minutes.

Attention, please. The train to Gap is running twenty minutes late.

## Objectif 4  Comprendre les panneaux

Réservation

Buffet

Consigne Manuelle

Consigne Automatique

Information

Billets

Accès aux Quais

Seat Reservations

Station Buffet

Left Luggage

Left Luggage Lockers

Information Office

Ticket Office

To the Platforms

Vous êtes dans le train. Vous allez à Nice.
Un vieux monsieur et son petit-fils parlent avec vous.
Vous comprenez? Vous pouvez parler de votre famille?

L'unité 2 est une unité de révision.
Vous connaissez déjà les phrases essentielles.

## Les objectifs

Dans cette unité, vous allez apprendre à:

**1** parler de votre famille.　　**2** décrire votre famille.　　**3** parler de vos animaux.

## Objectif 1　Parler de votre famille

**1**　Révisez un peu. Regardez les diagrammes, **A** et **B**.

**A**

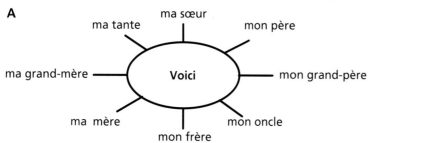

**B**

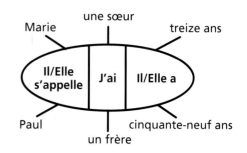

# Objectif 2 Décrire votre famille

A

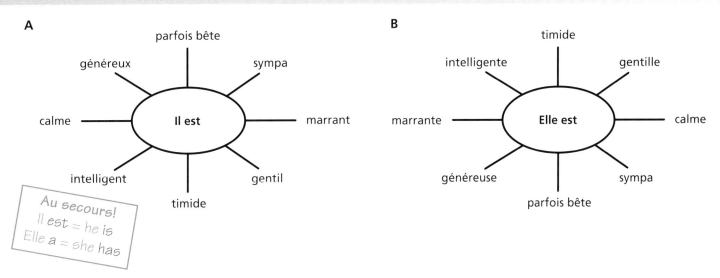

parfois bête

généreux — sympa

calme — **Il est** — marrant

intelligent — gentil

timide

B

timide

intelligente — gentille

marrante — **Elle est** — calme

généreuse — sympa

parfois bête

*Au secours!*
*Il est = he is*
*Elle a = she has*

**1** Vous êtes dans le train. Deux voyageurs décrivent leurs familles.
Ecoutez et regardez votre livre de travail, à la page 6.

Alors, vous pouvez parler de votre famille?
Vous pouvez aussi décrire leurs caractéristiques physiques?
Vous pouvez décrire par exemple, les yeux, les cheveux...?

## Révisez encore un peu

**2** Regardez ces phrases.

Il est grand.

SORTIE

Il a les yeux verts.

Il a les cheveux blonds et courts.

Il est petit.

Il a les yeux bleus.

Elle est petite.

Elle a les yeux gris.

Elle est grande.

Elle a les cheveux noirs et longs.

Elle a les yeux bleus.

## Prononciation

**3** Ecoutez et répétez les phrases qui sont correctes:

**a** pour un membre de votre famille.

**b** pour un(e) amie.

**Unité 2**
18 dix-huit

# Poser des questions

Vous avez toutes les réponses, mais les questions?

Voici des questions utiles pour un dialogue.

Vous avez des frères et des sœurs?

Il/Elle a quel âge?

Il/Elle s'appelle comment?

Il/Elle est comment?

 **1** Quelle question va avec quelle réponse?
Travaillez avec votre partenaire. Trouvez les
réponses des quatre questions.
(Regardez les pages 17 et 18.)

## C'est à vous

**2** Travaillez avec votre partenaire. Vous êtes dans le train.
Votre partenaire est une personne âgée.
Il/Elle parle beaucoup de sa famille. Vous aussi?
Vous avez peut-être des photos?

 **3** Dans le train, une vieille dame parle de sa
famille avec un jeune homme. Ecoutez.
C'est bien? Ça vous aide?

Au secours!
Regardez dans votre
livre de travail,
page 7.

ET VOICI MA SOEUR.
J'AI QUATRE SOEURS ET
HUIT FRERES. J'AI DES
PHOTOS DE TOUTE MA
FAMILLE !!

# Objectif 3 Parler de vos animaux

Vous n'avez ni frères ni sœurs? Alors, pour l'examen, vous pouvez décrire un animal.

Vous avez déjà les phrases essentielles.

## Révisez les noms d'animaux

**1** Regardez ce diagramme.

un poisson

un oiseau

un lapin

un chat

J'ai

un hamster

> **Au secours!**
> Vous avez d'autres animaux? Demandez à votre professeur.
>
> Exemple
> - Pardon, madame.
> C'est quoi en français, python?

 **2** Un voyageur parle de ses animaux.

    **a** Ecoutez. Qu'est-ce qu'il dit? Expliquez cela à un voyageur anglais (votre partenaire).

    **b** Ecoutez et répétez seulement les noms des animaux que vous aimez.

 **3** Dans votre train, il y a une femme avec un chien.

    **a** Ecoutez la cassette. Voici une description. C'est la description du chien ou de la femme?

    **b** Décrivez la femme et le chien à votre partenaire. Quelles sont les différences?

F. MEYNET.

---

### C'est à vous

**4** Et vos animaux? Travaillez avec votre partenaire.

    **a** Décrivez vos animaux.

    **b** Votre partenaire peut les dessiner.

# Voici le sommaire

## Objectif 1  Parler de votre famille

| | |
|---|---|
| Voici... | This is... |
| ma sœur | my sister |
| ma tante | my aunt |
| ma mère | my mother |
| ma grand-mère | my grandmother |
| mon frère | my brother |
| mon oncle | my uncle |
| mon père | my father |
| mon grand-père | my grandfather |

## Objectif 2  Décrire votre famille

| | |
|---|---|
| J'ai une sœur/un frère. | I've got a sister/brother. |
| Il/Elle s'appelle... | He/She is called... |
| Il/Elle a treize ans. | He/She is thirteen. |
| Elle est parfois bête. | She is sometimes stupid. |
| Il est calme. | He is quiet. |
| Elle est timide. | She is shy. |
| Il/Elle est marrant(e)/ intelligent(e)/ gentil(le)/ généreux(se)/ sympa/ grand(e)/ petit(e). | He/She is funny/ intelligent/ kind/ generous/ nice/ tall/ small. |
| Il a les yeux bleus/ gris/ verts/ marron. | He has blue/ grey/ green/ brown/ eyes. |
| Il a les cheveux noirs et longs. | He has long, black hair. |
| Elle a les cheveux courts et blonds. | She has short, blonde hair. |

## Objectif 3  Parler de vos animaux

| | |
|---|---|
| J'ai un chien/ un chat/ un oiseau/ un poisson/ un lapin/ un hamster. | I've got a dog/ a cat/ a bird/ a fish/ a rabbit/ a hamster. |

Vous habitez à Nice.
Vous travaillez à l'office du tourisme.
Vous prenez le bus pour aller en ville.

## Les objectifs

Dans cette unité, vous allez apprendre à:

**1** demander la destination des bus.

**2** acheter un ticket.

**3** demander des renseignements sur les excursions.

## Objectif 1  Demander la destination des bus

### Les phrases essentielles

- Il y a un bus qui va **au** port?

- Oui, c'est le numéro **vingt**.

 **1** A l'office du tourisme, les clients demandent des renseignements.

    **a** Regardez les quatre destinations.

    **b** Ecoutez et notez pour vos clients le numéro des bus de ces quatre destinations.

# Objectif 2  Acheter un ticket

Vous achetez un ticket dans le bus.

Vous compostez votre ticket.

Que dites-vous quand le bus arrive?

## Les phrases essentielles

**A:** C'est bien le bus pour le château?

**B:** Oui, c'est le bus pour le château.

**A:** Une personne pour le château, s'il vous plaît.

C'est combien?

**B:** C'est dix francs.

> Au secours!
> Vous comprenez?
> Sinon, regardez
> le sommaire, page 28.

## Apprenez les phrases

 **1** Recopiez les phrases essentielles et écrivez les équivalents en anglais.

 **2** Ecoutez et indiquez la bonne phrase. Vos réactions sont rapides?

 **3** Regardez le sommaire à la page 28. Regardez seulement l'anglais. Ecoutez les phrases en français. Vous pouvez indiquer la phrase équivalente en anglais?
Vos réactions sont toujours rapides?

**4** Ecoutez et répétez les phrases:

    **a** d'une manière impatiente.

    **b** d'une manière timide.

C'est bien le bus pour le château?

C'est bien le bus pour le château?

### C'est à vous

**5** Voici un dialogue dans le bus.

**A:** C'est bien le bus pour le port?

**B:** Oui, c'est le bus pour le port.

**A:** Deux personnes, s'il vous plaît.

**B:** Voilà! Dix-huit francs, s'il vous plaît.

    **a** Jouez ce dialogue.

    **b** Inventez un autre dialogue.

    **c** Jouez le dialogue avec votre partenaire.

# Objectif 3 Demander des renseignements sur les excursions

- **Un bus** va d'une destination à une autre dans la ville.

- **Un car** fait des excursions et va d'une ville à une autre.

## Posez des questions

Un week-end, vous voulez faire une excursion à Monte-Carlo et à San Rémo, en Italie.

**1** Regardez ces questions.

**A** Il y a une excursion en Italie?

**B** Il y a une excursion à Monte-Carlo?

**C** Vous avez un horaire?

**D** Le car part à quelle heure?

**E** Il arrive à Monte-Carlo à quelle heure?

**F** L'excursion, c'est quel jour?

## Apprenez les phrases

**2** Vous travaillez à l'office du tourisme. Vous voulez des renseignements pour deux clients.

    **a** Recopiez les questions.

    **b** Ecoutez et écrivez les renseignements pour vos deux clients.

Exemple

1. Il y a une excursion en Italie? ✓

2. Le car part à quelle heure?

    *A 9h 30.*

**3** Ecoutez ces deux dialogues.

    **a** Si les questions sont distinctes, répétez-les.

    **b** Si les questions ne sont pas distinctes, répétez-les, très distinctement.

### C'est à vous

**4** Vous travaillez dans un office du tourisme.
Votre partenaire est un(e) client(e).
Votre partenaire pose les questions.
Vous donnez les renseignements à votre partenaire.

Exemple

- Le car arrive à San Rémo à quelle heure?

- Il arrive à dix-sept heures.

# EXCURSIONS 93

1993,
LA CÔTE D'AZUR
DE *Marie*

## au départ de
# NICE

### Cagnes - St. Laurent

## 100 TOURS

## PRINCIPAUTÉ de MONACO
## MONTE-CARLO

**160ᶠ**

**Départ:** 9h 00 Nice
**Mardi et Samedi**

*"Un rêve... Une réalité"*

**English Guide** Journée entièrement consacrée à la **Principauté** avec promenade à pied dans la vieille ville et autour du **Palais princier**. Arrêt au **Casino de Monte-Carlo** et visites possibles du **Jardin Exotique**, **Musée Océanographique** (facultatifs)

## ST. PAUL GORGES du LOUP
### GRASSE

**210ᶠ**

Déjeuner inclus
Boissons incluses

**Départ:** 9h 00 Nice/Vendredi

«Villages, paysages et traditions de l'arrière-pays»

**English Guide** • **St. Paul de Vence** (visite du village)
**Pont du Loup** (visite d'une confiserie)
• **Gourdon** (village perché)
• **Visite de Grasse** (vieille ville et cathédrale) et d'une parfumerie

**PROMOTION**

**Unité 3**
25 vingt-cinq

## CANNES et ANTIBES

**120<sup>F</sup>**

**Départ:** 14h00 de Nice
**Vendredi**

**English Guide**

• **ANTIBES:** promenade accompagnée dans les vieux quartiers et jusqu'au Château des Grimaldi.

• **CANNES, "Perle de la Côte d'Azur":** renommée dans le monde entier pour son élégance et son luxe. Un arrêt sur "La Croisette" vous permettra d'admirer boutiques de luxe et palaces

## LA VALLÉE DES MERVEILLES

### "LE MUST" de votre Été

Les plus beaux paysages du Haut-Pays.
Découverte des célèbres gravures préhistoriques et du Parc du Mercantour.

**EN JEEP**

**300<sup>F</sup>**

**Départ à 7h 00 de Nice**
**Mardi et Jeudi (15/6 au 15/9)**

• **Vintimille** • **Vallée de la Roya**
• **Lac des Mesches** • **Casterino (1600m)**

En alternance vous effectuerez une promenade de 1 h 30 en jeep dans le Parc National et jusqu'aux premières gravures préhistoriques

**Au secours!**
Regardez votre livre de travail, à la page 9.

 **1** Regardez ces renseignements. Votre client(e) anglais(e) veut faire une excursion.

    **a** Vous lui recommandez quelle excursion?

    **b** Décrivez l'excursion.

 **2** Votre client(e) voudrait une description d'autres excursions. Vous pouvez décrire les trois autres excursions? Quelles sont les conditions?

## Conditions

• **English guide:** excursions commentées avec un guide bilingue diplômé (français/anglais).

• **Air conditionné:** sauf exception, tous nos cars sont équipés d'air conditionné.

• **1/2 tarif** pour les enfants de 4 à 12 ans.

• **Tarifs spéciaux** pour les groupes de plus de 10 personnes.

# Vous comprenez tout?

## Activité 1

Jouez le dialogue avec votre partenaire.

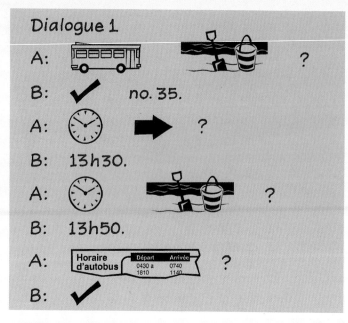

Dialogue 1

A: 🚌 🏖️ ?

B: ✓ no. 35.

A: 🕐 ➡️ ?

B: 13h30.

A: 🕐 🏖️ ?

B: 13h50.

A: Horaire d'autobus | Départ 0430 à 1810 | Arrivée 0740 1140 ?

B: ✓

## Activité 2

Vous voulez faire une excursion aux
Iles de Lérins (voir page 7).
Vous voulez des renseignements.
Ecoutez et notez les renseignements.

Exemple

- l'heure de départ
- l'heure d'arrivée
- le jour
- combien de francs

## Activité 3

Travaillez avec votre partenaire.
Choisissez un rôle, **A** ou **B**.
Jouez votre rôle avec votre partenaire.

**A**

Vous êtes un(e) client(e) anglais(e). Vous
voulez faire une excursion à Eze. Vous
posez des questions (en français) sur cette
excursion à l'employé(e) de l'office du
tourisme (votre partenaire). Il/Elle vous
donne les renseignements.

**B**

Vous travaillez à un office du tourisme.
Votre partenaire est un(e) client(e)
anglais(e). Vous avez des renseignements
sur cette excursion, à Eze. Décrivez
l'excursion en anglais.

EZE
PRINCIPAUTÉ DE MONACO
*English Guide*

Départ: 14h00 de Nice
Dimanche – Mercredi (Avril à Octobre)
Vendredi et Lundi (Juin à Septembre)

- EZE: Village en "nid d'aigle" et visite
de la parfumerie Fragonard

130F

# Voici le sommaire

## Objectif 1  Demander la destination des bus

Il y a un bus qui va au port?  Is there a bus to the harbour?

Oui, c'est le numéro vingt.  Yes, it's the number twenty.

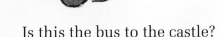

## Objectif 2  Acheter un ticket

C'est bien le bus pour le château?  Is this the bus to the castle?

Oui, c'est le bus pour le château.  Yes, it's the bus to the castle.

Une personne pour le château,  One to the castle, please.
s'il vous plaît.

C'est combien?  How much does it cost?

C'est dix francs.  It's ten francs.

## Objectif 3  Demander des renseignements sur les excursions

Il y a une excursion en Italie?  Is there an excursion to Italy?

Vous avez un horaire?  Have you got a timetable?

Le car part à quelle heure?  What time does the coach leave?

Il arrive à Nice à quelle heure?  What time does it get to Nice?

L'excursion, c'est quel jour?  What day is the excursion on?

lundi / mardi / mercredi / jeudi /  Monday / Tuesday / Wednesday / Thursday /
vendredi / samedi / dimanche  Friday / Saturday / Sunday

# Unité 4
# A l'office du tourisme

Vous travaillez maintenant à l'office du tourisme à Nice.
Vous donnez des renseignements à des clients français, anglais,
australiens, américains, etc.

## Les objectifs

Dans cette unité, vous allez apprendre à:

**1** donner des renseignements.

**2** parler du climat.

**3** demander des renseignements.

## Objectif 1  Donner des renseignements

Un client arrive à l'office du tourisme de Nice. Il demande des renseignements:

- Qu'est-ce qu'on peut faire ici?

Vous répondez:

- On peut aller à la plage.

- On peut visiter le vieux Nice.

# Nice, le jour et Nice, le soir

## Le jour

Qu'est-ce qu'on peut faire, le jour, à Nice?

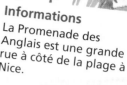

| On peut visiter | le parc |
| | le château |
| | les musées |
| | le port |
| | le vieux Nice |
| On peut aller | sur la Promenade des Anglais |
| On peut jouer | au tennis |
| | au golf |
| | au volley-ball |

**Informations**
La Promenade des Anglais est une grande rue à côté de la plage à Nice.

## Le soir

| On peut aller | en discothèque |
| | au cinéma |
| | au théâtre |
| | au restaurant |
| | dans un café |

**Au secours!**
Regardez les mots.
Ils sont comme les mots anglais?

Vous avez des problèmes?
Regardez le sommaire, page 37.

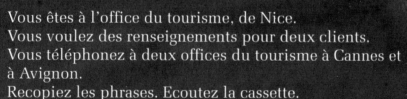

## Apprenez les phrases

**1** Vous êtes à l'office du tourisme, de Nice.
Vous voulez des renseignements pour deux clients.
Vous téléphonez à deux offices du tourisme à Cannes et
à Avignon.
Recopiez les phrases. Ecoutez la cassette.

  **a** Qu'est-ce qu'on peut faire à Cannes? Cochez les phrases.

  **b** Qu'est-ce qu'on peut faire à Avignon? Cochez les phrases.

**2** Ecoutez la cassette et répétez:

  **a** les phrases pour Cannes.

  **b** les phrases pour Avignon.

  **c** les phrases pour Nice.

# Objectif 2  Parler du climat

Le climat est important pour le tourisme?
En toutes les saisons?

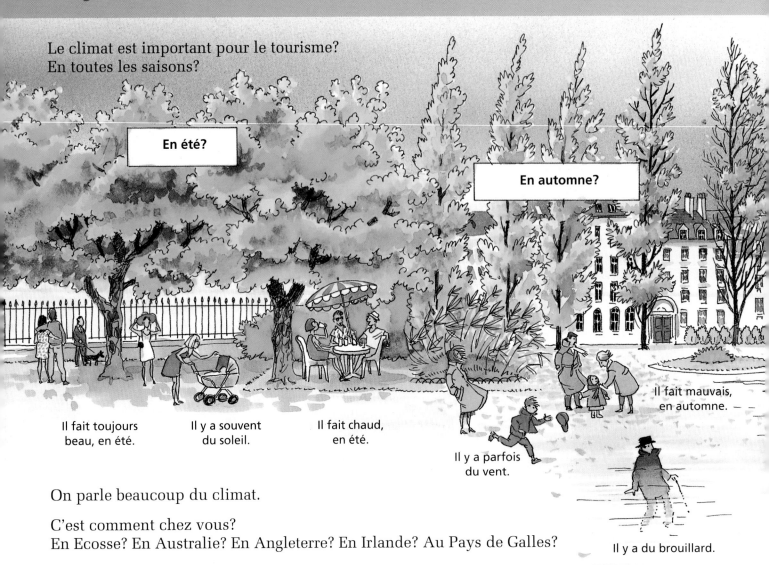

En été?

En automne?

Il fait toujours
beau, en été.

Il y a souvent
du soleil.

Il fait chaud,
en été.

Il y a parfois
du vent.

Il fait mauvais,
en automne.

Il y a du brouillard.

On parle beaucoup du climat.

C'est comment chez vous?
En Ecosse? En Australie? En Angleterre? En Irlande? Au Pays de Galles?

## Les phrases essentielles

1   Regardez le dessin. Vous connaissez peut-être déjà
ces phrases. Quel temps fait-il chez vous, en hiver?

## Révisez un peu

 2   Ecoutez la cassette. Vous entendez les descriptions
du climat de Calais et de Grenoble, deux villes en France.

Notez pour vos clients le climat des quatre saisons à
Calais et à Grenoble.

 3   Ecoutez et répétez:

**a**   les phrases qui décrivent un bon climat.

**b**   les phrases qui décrivent un mauvais climat.

En hiver?

Au printemps?

Il fait froid, en hiver.

Il neige.

Il pleut.

C'est agréable, au printemps.

## C'est à vous

**4** Quel temps fait-il? Ecoutez et écrivez la bonne phrase.

Exemple

Vous entendez qu'il pleut.

Vous écrivez: il pleut.

**5** Un client anglais veut habiter en France, à Nice. Il voudrait des renseignements sur le climat en hiver.

**a** Ecoutez la cassette et notez en anglais une description du climat à Nice, en hiver.

**b** Ecoutez encore une fois et notez la description, en français, pour un client français qui vient de Calais.

**6** Un client français demande des renseignements sur le climat dans votre ville. Travaillez avec votre partenaire. Décrivez le climat des quatre saisons dans votre ville.

**1** Voici un dialogue à l'office du tourisme. Ecoutez et répétez:

    **a** toutes les phrases de la cliente.

    **b** toutes les phrases de l'employé.

> *Employé:* Bonjour, madame.
>
> *Cliente:* Vous avez des dépliants sur Nice?
>
> *Employé:* Oui. Voilà.
>
> *Cliente:* C'est intéressant. Qu'est-ce qu'on peut faire ici?
>
> *Employé:* Euh! Beaucoup de choses... on peut aller à la plage, on peut visiter le port...

 **2** Travaillez avec votre partenaire.

    **a** Lisez le dialogue.

    **b** Fermez vos livres. Essayez de jouer le dialogue.

 **3** Regardez les dépliants.

    **a** Lisez les dépliants.

    **b** Expliquez les dépliants à un(e) client(e) anglais(e) (votre partenaire).

 **4** Avec votre partenaire, demandez et donnez des renseignements, en français, sur Marineland.

*Au secours! Regardez votre livre de travail, à la page 11.*

Restauration
Bar, Glaces
Boutique

Tarif spécial pour les accompagnateurs non baigneurs

Ouvert tous les jours de 10 h à 19 h
Tel. 93 33 49 49

**UNE PRODUCTION MARINELAND**

## MINI GOLF & EXPLORATION

•

3 parcours de 18 trous dans un décor et une végétation exotiques

•

Bar, snack, terrasse

**Unité 4**

AQUA-SPLASH

Marineland est aussi un grand centre de recherche scientifique. ▲

Le musée de la marine : la plus grande collection marine privée de France. Plusieurs milliers de pièces et de maquettes exposées. ▶

Michel Savy - RCS 88 B 179

OUVERT
TOUS LES JOURS
TOUTE L'ANNEE

PARKING GRATUIT
ANGLE RN 7
ROUTE DE BIOT
T. 93 33 49 49

▼ Le restaurant : du mini-séminaire aux dîners de 600 couverts ou réceptions jusqu'à 1.200 personnes.

Marineland
RN 7-ANTIBES

# Une lettre à Nice

**1** Un client écrit cette
lettre à l'office du
tourisme.
Lisez la lettre.

3, rue de la Mer

62100-Calais

le 14 mars

Madame/Monsieur,

J'ai l'intention de passer mes vacances
à Nice, cet été, avec ma famille.
Pourriez-vous m'envoyer:

• des dépliants sur Nice?

• une liste des hôtels avec les prix?

Je vous prie d'agréer, Madame/Monsieur,
l'expression de mes sentiments les
meilleurs.

Jean Beaupart

**2** Vous aussi, vous pouvez écrire
une lettre comme celle-ci.

**a** Recopiez la lettre.

**b** Changez les mots en rouge.

Exemple

*des dépliants sur Avignon*

**3** Il faut apprendre la lettre par cœur, pour les examens.
Voici une stratégie pour vous aider.

• Prenez une règle.

• Posez votre
règle sur
la lettre
comme ça.

• Ou
comme
ça.

Essayez d'écrire la lettre. C'est facile?

# Qu'est-ce qu'on peut faire à Nice?

On peut aller en ville.

On peut visiter les musées.

## On peut + verbe

| On peut | aller | à la plage. |
|---------|--------|-------------|
| On peut | visiter | le château. |
| On peut | jouer | au tennis. |

 **1** Qu'est-ce qu'on peut faire dans votre ville?

Vous pouvez écrire combien de phrases en cinq minutes? Cinq, huit, dix, plus?

Exemple

| | visiter | les musées. |
|---------------|---------|-------------|
| A Brighton on peut | jouer | au golf. |
| | aller | à la plage. |

## L'examen

 **2** Voici une liste de questions possibles à l'examen.

**A** Qu'est-ce qu'on peut faire à... (votre ville)?

**B** Qu'est-ce qu'on peut faire le soir?

**C** Quel temps fait-il en hiver?

**D** Et au printemps, en été, en automne?

Le partenaire A pose les questions au partenaire B. Puis changez de rôle: c'est le partenaire B qui pose les questions.

 **3** Ecoutez la cassette. Vous entendez les réponses de deux jeunes personnes pendant l'examen.
Vous donnez quelle note à chaque personne?

Lancaster and Morecambe
College Library

# Voici le sommaire

## Objectif 1  Donner des renseignements

Qu'est ce qu'on peut faire à Nice...
le jour/le soir?

What is there to do in Nice...
during the day/in the evening?

On peut aller...
en ville/ à la plage/ en discothèque/
au cinéma/ au théâtre/ au restaurant.

You can go...
in to town/to the beach/ to the disco/
to the cinema/to the theatre/to the restaurant.

On peut visiter...
le parc/ le château/ le port/
les musées/ le vieux Nice.

You can visit...
the park/ the castle/ the port/
the museums/ the old part of Nice.

On peut jouer...
au tennis/ au golf/ au volley-ball.

You can play...
tennis/ golf/ volleyball.

## Objectif 2  Parler du climat

Quel temps fait-il...
en hiver/ au printemps/
en été/ en automne?

What is the weather like...
in winter/ in spring/
in summer/ in autumn?

Il fait toujours beau.

It is always nice.

Il fait parfois...
trente-huit degrés.

It is sometimes...
thirty eight degrees centigrade.

Il fait rarement...
chaud/ froid/ mauvais.

It is rarely...
hot/ cold/ bad weather.

C'est agréable.

It is pleasant.

Il y a souvent...
du brouillard/ du soleil/ du vent.

It is often...
foggy/ sunny/ windy.

Il neige.

It snows./It is snowing.

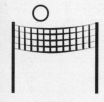

Il pleut.

It rains./It is raining.

## Objectif 3  Demander des renseignements

Vous avez des dépliants sur Nice?

Have you got any brochures on Nice?

C'est intéressant.

That's interesting.

# Unité 5
## A Nice

Vous connaissez bien Nice?
A l'office du tourisme, des clients posent des questions.
Vous expliquez le chemin aux clients.

L'Unité 5 est une unité de révision.
Vous connaissez déjà les phrases essentielles.

# Les objectifs

Dans cette unité, vous allez apprendre à:

**1** demander le chemin.

**2** comprendre et expliquer le chemin.

# Objectif 1  Demander le chemin

**1** Regardez ce dialogue.

   **a** Ecoutez et lisez le dialogue.

   **b** Ecoutez et mimez le dialogue.

   **c** Ecoutez et répétez la question.

   **d** Ecoutez et répétez la réponse.

A: Où est le château, s'il vous plaît?

B: Le château? Vous allez tout droit et vous prenez la deuxième rue à droite et puis la première rue à gauche.

A: Merci, au revoir.

# Visiter une ville

Il y a beaucoup de choses à voir dans une ville comme Nice.

## Les mots essentiels

1   Regardez les trois listes (A,B et C).

- Dans la liste A, vous trouvez les mots de l'Unité 4.

- Dans la liste B, vous trouvez les mots que vous ne connaissez pas.
  Ils sont comme les mots anglais.

- Dans la liste C, vous trouvez d'autres mots.

| A | | B | | C | |
|---|---|---|---|---|---|
| 1 | le château | 8 | le garage | 14 | la mairie |
| 2 | la discothèque | 9 | l'hôpital | 15 | l'église |
| 3 | le musée | 10 | la poste | 16 | le syndicat d'initiative |
| 4 | la plage | 11 | le stade | 17 | la gare routière |
| 5 | le port | 12 | la cathédrale | 18 | la piscine |
| 6 | l'office du tourisme | 13 | le parc | | |
| 7 | la gare | | | | |

Et voici les images qui correspondent aux mots.

## Apprenez les mots

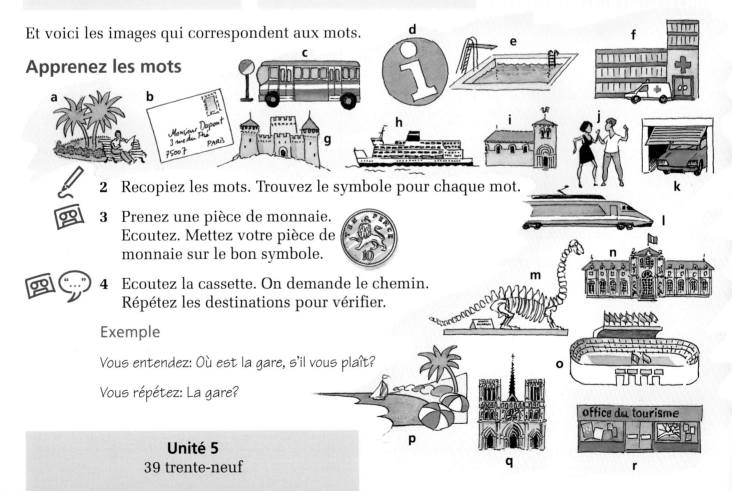

2   Recopiez les mots. Trouvez le symbole pour chaque mot.

3   Prenez une pièce de monnaie.
Ecoutez. Mettez votre pièce de
monnaie sur le bon symbole.

4   Ecoutez la cassette. On demande le chemin.
Répétez les destinations pour vérifier.

Exemple

Vous entendez: Où est la gare, s'il vous plaît?

Vous répétez: La gare?

# Objectif 2  Comprendre et expliquer le chemin

Il y a d'autres formes de
questions pour demander
le chemin.

On entend aussi:

Pour aller au port,
s'il vous plaît?

LE PORT,
S'IL VOUS
PLAÎT ?

## C'est à vous de demander le chemin

**1** Travaillez avec votre partenaire.
Vous êtes à l'office du tourisme, à Nice.
Vous demandez le chemin à un(e) collègue.
Le/la collègue (votre partenaire) donne les réponses.

Regardez le plan de la ville dans votre livre de
travail, page 14. Ça vous aide?

## C'est à vous d'expliquer le chemin

**2** Vous travaillez à l'office du tourisme.
Vos clients demandent le chemin.

**A** Où sont les grands magasins?

**B** Il y a un bon restaurant près d'ici?

**C** Où se trouve la place Masséna?

**D** L'Hôtel Westminster Concorde,
c'est loin?

**1** C'est tout près... à l'église vous
tournez à gauche.

**2** Vous allez jusqu'aux feux.

**3** Oui, c'est assez loin.

**4** Il y a un bon restaurant
dans la rue Masséna.

RUE MASSÉNA

**a** Recopiez les questions (A-D). Ecoutez et écrivez la bonne
réponse (1-4) pour chaque question.

**b** Ecoutez encore une fois et donnez le chemin, en anglais, pour
vos clients qui parlent anglais.

**3** Ecoutez et répétez.

Exemple

Vous entendez:

– Vous allez *tout droit* et vous prenez la *deuxième rue à gauche*.
Vous allez *jusqu'aux feux* et vous *tournez à gauche*.

Vous répétez:

– *Tout droit*, la *deuxième rue à gauche*, *jusqu'aux feux*, *tournez à gauche*.

**4** Ecoutez et répétez toutes les phrases très lentement et distinctement.

# Le coin-jeu

Choisissez un jeu.
Vous avez dix minutes pour compléter votre jeu.

**1** Regardez ce jeu du morpion.
Dessinez la grille.

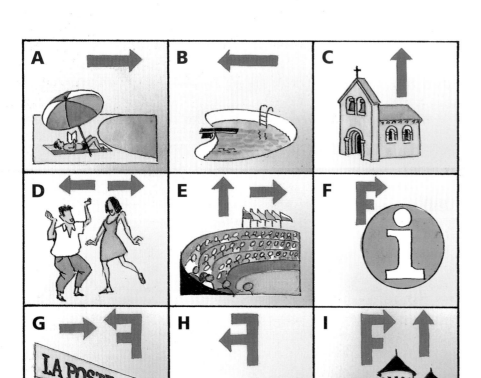

## Règles du jeu

**a** Le partenaire **A** commence.
Il/Elle choisit un carré (par exemple, le carré G).

**b** Il/Elle dit:
«La poste? Oui, vous tournez à droite et vous prenez la deuxième rue à gauche».

**c** C'est correct? Il/Elle met un X dans le carré G.

**d** C'est le tour du partenaire **B**. Il/Elle choisit un carré (par exemple, le carré B).

**e** Il/Elle dit:
«La piscine? Oui, vous tournez à gauche».

**f** C'est correct? Il/Elle met un O dans le carré B.

**g** Qui gagne?
Le partenaire qui a trois O ou trois X sur une ligne.

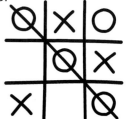

**2** Travaillez avec votre partenaire.
Regardez le labyrinthe.
Vous pouvez expliquer le chemin pour aller à la plage?

le parc

la plage

# Voici le sommaire

## Objectif 1  Demander le chemin

| | |
|---|---|
| Excusez-moi, madame/monsieur. | Excuse me, madam/sir. |
| Il y a un bon restaurant près d'ici? | Is there a good restaurant near here? |
| Où est l'église? | Where is the church? |
| Où sont les magasins? | Where are the shops? |
| Pour aller à la gare? | How do I get to the station? |
| Le garage/ L'hôpital/ La mairie/ La poste/ Le stade/ Le syndicat d'initiative/ La piscine, s'il vous plaît. | The garage/ The hospital/ The town hall/ The post office/ The sports stadium/ The information office/ The swimming pool, please. |
| Vous pouvez répéter, s'il vous plaît. | Can you repeat that, please? |
| Vous pouvez parler plus lentement? | Can you speak more slowly? |

La poste, c'est loin?

## Objectif 2  Comprendre et expliquer le chemin

| | |
|---|---|
| Vous tournez à droite/à gauche. | You turn right/left. |
| Vous allez tout droit. | You go straight on. |
| Vous prenez la première/deuxième rue à droite/à gauche. | Take the first/second road on the right/left. |
| C'est dans la rue Masséna. | It's in the rue Masséna. |
| Allez jusqu'aux feux. | Go to the lights. |
| A l'église, vous tournez à gauche. | Turn left at the church. |
| C'est loin? | Is it a long way? |
| Oui, c'est assez loin. | Yes, it's quite a long way. |
| Non, c'est tout près. | No, it's quite near. |

Voici un dessin amusant.

Faites un dessin amusant pour votre classe.

AÉROGRAMME

Mlle Alice Rannoch
80 Ivdey Rd.
London
SW4 0EW

PAR AVION

Airbus A340
LA POSTE
RÉPUBLIQUE FRANÇAISE
5.00

# Unité 6
# A la poste

Vous avez un paquet de lettres et de cartes postales à envoyer.
Vous allez acheter des timbres.
Mais où?

## Informations

En France, on peut acheter des timbres à la poste ou dans un tabac.

# Les objectifs

Dans cette unité, vous allez apprendre à:

**1** comprendre les panneaux à la poste.

Boîte aux Lettres

**2** acheter des timbres.

**3** envoyer des lettres et des paquets.

# Objectif 1 Comprendre les panneaux à la poste

## Apprenez les mots

**A**

une boîte aux lettres

**C** Envoi de lettres et paquets

**B**

**E** LA POSTE

**D** OUVERT

FERMÉ

 **1** Recopiez les panneaux dans votre cahier.

  **a** Ecoutez. Vous entendez cinq dialogues.

  **b** Ecrivez le numéro du dialogue dans votre cahier, à côté du panneau.

 **2** Travaillez avec votre partenaire.
Votre partenaire dit le panneau.
Vous dites le numéro.

Changez de rôle. Qui est plus rapide?
Vous ou votre partenaire?

 **3** Recopiez les panneaux.
Dessinez un symbole pour chaque panneau.
Ça vous aide à apprendre les mots?

# Objectif 2  Acheter des timbres

Vous voulez envoyer les cartes
postales de Nice à vos amis.

Vous allez dans un tabac.
Vous achetez des timbres.

## Apprenez les phrases

 **1** Vos collègues vous demandent d'acheter les
timbres. Ecoutez et notez les timbres qu'ils vous
demandent d'acheter.

Exemple

Vous entendez: «...et quatre timbres à trois francs
quarante.»

Vous écrivez: 4 x 3F40

 **2** Répétez les phrases pour vérifier.

Exemple

Vous entendez: «Je voudrais quatre timbres à quatre francs,
s'il vous plaît.»

Vous dites: «Quatre timbres à quatre francs?»

> **A:** C'est combien pour envoyer une carte postale?
>
> **B:** Trois francs quarante.
>
> **A:** Trois timbres à trois francs quarante,
> s'il vous plaît.
>
> **B:** Voilà. Dix francs vingt, s'il vous plaît.
>
> **A:** Voilà. Merci. Au revoir, madame.
>
> **B:** Au revoir, monsieur.

 **3** Jouez le dialogue.

    **a** Répétez le dialogue après les Français.

    **b** Répétez le dialogue avec les Français.

## C'est à vous

**4** Travaillez avec votre
partenaire.

Jouez le dialogue
sans la cassette.

# Les cartes postales

Vous pouvez écrire un message à vos amis
sur une carte postale?
C'est très simple.

**1**   Regardez cette carte postale.

Côte d'Azur...
15526 - NICE
Les Arènes de Cimiez
CEMENELUM

S.O.S AMITIE
NICE CÔTE D'AZUR
93 26 26 26
NICE GARIBALDI  20-5-94

2,80
RÉPUBLIQUE FRANÇAISE
Martigues
LA POSTE 1994

LES EDITIONS MAR - 4, bd de Cimiez - 06000 NICE
Tél.: 93.85.36.25 - Reproduction Interdite

*Salut!*
*Nous sommes à Nice. Il*
*fait très beau ici, 38*
*degrés! Il y a toujours*
*du soleil. Il y a beaucoup*
*de choses à faire ici - on*
*peut visiter le château,*
*faire des excursions, aller*
*dans les discothèques.*
*C'est super!*

*Tim Burrows*
*30 St John's Road*
*Stockport*
*Cheshire*
*SK6 1DH*
*Angleterre*

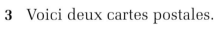

**2**   Ecrivez votre message.
Vous pouvez simplement changer les mots en rouge.

**3**   Voici deux cartes postales.

Choisissez une des deux cartes postales.
Ecrivez votre message.

# Objectif 3  Envoyer des lettres et des paquets

Vous avez des paquets et des lettres à envoyer.
Que dites-vous?

## Les phrases essentielles

- Je voudrais envoyer ce paquet en Australie.

- Je voudrais envoyer cette lettre au Canada.

- C'est combien?

- Par avion?

- Oui, par avion, s'il vous plaît.

- Non, merci.

## Apprenez les phrases

 **1** Vous êtes fort(e) en géographie?
Vous travaillez à l'office du
tourisme. C'est important de
connaître les pays.

    **a** Regardez les pays pendant
trois minutes.

    **b** Ecoutez la cassette et indiquez
les pays sur la carte.

    **c** Regardez votre livre de
travail, à la page 17.

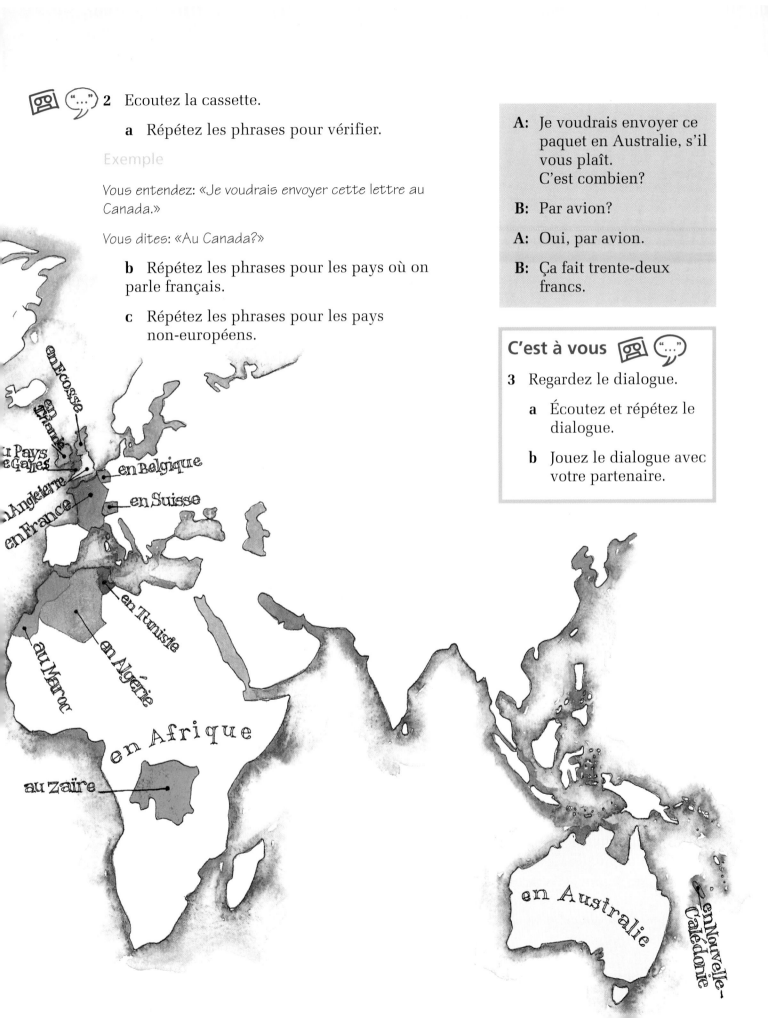

**2** Ecoutez la cassette.

    **a** Répétez les phrases pour vérifier.

Exemple

Vous entendez: «Je voudrais envoyer cette lettre au Canada.»

Vous dites: «Au Canada?»

    **b** Répétez les phrases pour les pays où on parle français.

    **c** Répétez les phrases pour les pays non-européens.

**A:** Je voudrais envoyer ce paquet en Australie, s'il vous plaît. C'est combien?

**B:** Par avion?

**A:** Oui, par avion.

**B:** Ça fait trente-deux francs.

**C'est à vous**

**3** Regardez le dialogue.

    **a** Écoutez et répétez le dialogue.

    **b** Jouez le dialogue avec votre partenaire.

en Ecosse

en Irlande

au Pays de Galles

en Belgique

en Angleterre

en Suisse

en France

en Tunisie

en Algérie

au Maroc

en Afrique

au Zaïre

en Australie

en Nouvelle-Calédonie

# Voici le sommaire

## Objectif 1  Comprendre les panneaux à la poste

| | |
|---|---|
| la poste | the post office |
| le tabac | the tobacconist |
| ouvert | open |
| fermé | closed |
| une boîte aux lettres | a letter box |
| Envoi de lettres et paquets | letter and parcels counter (in the post office) |

## Objectif 2  Acheter des timbres

| | |
|---|---|
| C'est combien pour envoyer une carte postale? | How much does it cost to send a postcard? |
| Trois timbres à trois francs quarante. | Three, three franc forty stamps. |

## Objectif 3  Envoyer des lettres et des paquets

| | |
|---|---|
| Je voudrais envoyer ce paquet/ cette lettre… | I would like to send this parcel/ this letter… |
| par avion. | by airmail. |
| en Australie. | to Australia. |
| en Nouvelle-Calédonie. | to New Caledonia. |
| en France. | to France. |
| en Suisse. | to Switzerland. |
| en Belgique. | to Belgium. |
| en Angleterre. | to England. |
| en Ecosse. | to Scotland. |
| en Irlande. | to Ireland. |
| en Tunisie | to Tunisia. |
| en Algérie. | to Algeria. |
| en Afrique. | to Africa. |
| au Zaïre. | to Zaire. |
| au Canada. | to Canada. |
| au Pays de Galles. | to Wales. |
| au Maroc. | to Morocco. |

Pendant que vous travaillez à Nice, vous habitez chez une famille.

Vous êtes un(e) invité(e) idéal(e)?

## Les objectifs

Dans cette unité, vous allez apprendre à:

**1** demander les choses nécessaires.

**2** dire ce que vous voulez faire.

**3** aider votre famille française.

## Objectif 1  Demander les choses nécessaires

Vous avez toutes les choses nécessaires?
Non? C'est simple.
Vous entendez: Tu as besoin de quelque chose?
Vous dites:

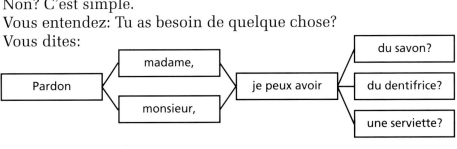

Pardon — madame, / monsieur, — je peux avoir — du savon? / du dentifrice? / une serviette?

# Objectif 2  Dire ce que vous voulez faire

Vous passez une soirée avec votre famille française.

On vous demande: «Qu'est-ce que tu veux faire?»

Au secours!

On dit 'tu' à un(e) ami(e).

A un adulte, on dit 'vous'.

## Les phrases essentielles

- Je peux écouter une cassette?

- Je peux regarder une vidéo?

- Je peux regarder la télé?

- Je suis fatigué(e).

- Je peux aller au lit?

- Je peux prendre une douche?

## Apprenez les phrases

1  Recopiez les phrases et regardez les dessins.

A    B    C

D    E    F

2  Ecrivez la lettre du dessin à côté de la bonne phrase.

3  Ecoutez la cassette.
Vous avez trouvé la bonne phrase pour chaque dessin?

# Je peux regarder la télé?

**1** Ecoutez et lisez ce dialogue.

> **A:** Alors, qu'est-ce que tu veux faire?
>
> **B:** Euh… Je peux regarder la télé, s'il vous plaît?
>
> **A:** La télé… Oui, bien sûr. J'ai aussi des vidéos. Tu veux peut-être regarder une vidéo?
>
> **B:** Oui, je veux bien. Merci.

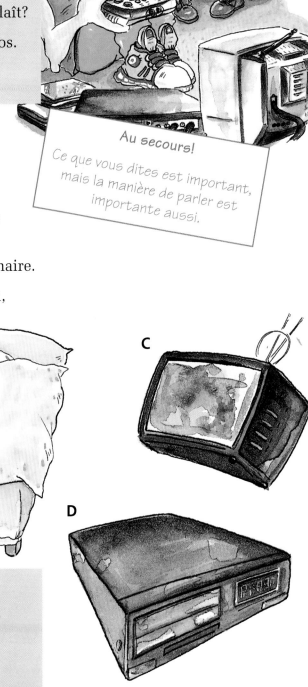

**Au secours!**

Ce que vous dites est important, mais la manière de parler est importante aussi.

   **a** Vous écoutez le dialogue deux fois. Quel dialogue est le plus poli? Vous avez décidé?

   **b** Répétez le dialogue le plus poli.

   **c** Jouez le dialogue de cette page avec votre partenaire. Vous êtes poli(e) ou impoli(e)?

**2** Inventez d'autres dialogues avec votre partenaire.

   **a** Regardez ces dessins. Pour chaque dessin, dites ce que vous voulez faire.

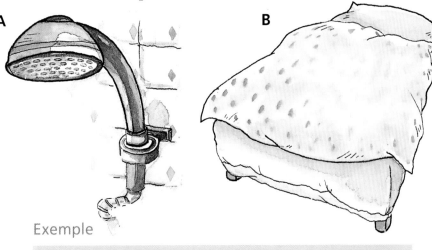

A     B     C

D

E

**Exemple**

> **A:** Salut. Ça va?
>
> **B:** Oui, ça va, merci. Mais je suis un peu fatigué(e). Je peux prendre une douche?
>
> **A:** O... ... sûr. Tu as besoin de quelque chose?
>
> **B:** Non, merci, ça va.
>
> **A:** D'accord. Alors, tu sais où est la salle de bains.

   **b** Ecoutez la cassette. Les Français font le premier dialogue pour vous.

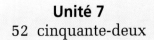

# Objectif 3 Aider votre famille française

Vous pouvez dire, d'une manière polie, ce que vous voulez faire pour aider.

Voici les phrases essentielles pour être poli.

Pardon, madame, je peux vous aider?

**1**
Non, merci.
C'est très gentil,
mais ça va.

**2**
Oui, si tu veux.
Qu'est-ce que tu fais, pour
aider ta famille, chez toi?

Chez moi,
- je mets la table.
- je débarrasse la table.
- je fais la vaisselle.

## Apprenez les phrases

**1** Regardez ces dialogues. Ecoutez et répétez les dialogues 1 et 2.

**2** Vous pouvez compléter le dialogue suivant?

> **A:** Pardon, monsieur, je peux
> _____?
>
> **B:** Oui, qu'est-ce que tu fais
> _____?
>
> **A:** Chez moi, je .
> Je peux _____?
>
> **B:** Ce serait gentil. Merci.

Je peux
- faire la vaisselle?
- mettre la table?
- débarrasser la table?

Ce serait gentil. Merci.

**a** Jouez le dialogue avec votre partenaire.

**b** Ecrivez le dialogue.

**c** Ecoutez la cassette. Votre dialogue est correct?

# Merci

Un soir, vous allez rendre visite à une autre famille, la famille Mazerand, qui habite à Nice.

Quand vous rendez visite à une famille, il est important de dire 'merci'.

Il est aussi poli, après, d'écrire une lettre, comme celle-ci.

> Nice
> le 12 mai
>
> Chère Madame Mazerand,
>
> Merci beaucoup pour la soirée si agréable. C'était très gentil à vous de m'inviter.
>
> Je suis très content(e) d'avoir fait la connaissance de votre famille.
>
> Amicalement

 **1** Travaillez avec votre partenaire.

   **a** Ecoutez. Madame Mazerand lit la lettre.

   **b** Lisez la lettre quatre fois.

 **2** Regardez la première phrase.  Vous pouvez faire une photo de la phrase dans votre tête?

   **a** Recopiez la phrase avec deux blancs.

**Exemple**

Merci _____ pour la _____ si agréable.

   **b** Vous et votre partenaire, vous pouvez compléter la phrase?

 **3** Et maintenant, relisez la lettre et apprenez les autres phrases de la même manière.

---

## C'est à vous

**4** Ne regardez pas la lettre.

Vous pouvez compléter ces phrases?

| | |
|---|---|
| **A** *Je suis très* | **C** *la connaissance* |
| **B** *de m'inviter* | **D** *pour la* |

---

 **5** Vous avez rendu visite à la famille Durant.
Ecrivez une lettre à Madame Durant pour la remercier.

# Vous comprenez tout?

Vous comprenez beaucoup de phrases.

C'est à vous maintenant de faire des dialogues polis. C'est simple.

## Activité 1

Vous aidez la famille.
Lisez cette conversation.
Vous pouvez compléter la conversation?
Travaillez avec votre partenaire.

> A: Pardon, _____ , _____ ?
>
> B: Oui, qu'est-ce que _____ ?
>
> A: Chez moi, je _____ .
>    Je peux _____ ?
>
> B: Ce _____ . Merci.

## Activité 2

Pendant que vous faites la vaisselle, vous parlez de votre famille. Complétez le dialogue. Ecrivez des réponses personnelles.

> A: Tu as des frères et des sœurs?
>
> B: _____ .
>
> A: Ils/Elles s'appellent comment?
>
> B: _____ .
>
> A: Ils/Elles ont quel âge?
>
> B: _____ .
>
> A: Ils/Elles sont comment?
>
> B: _____ .

Exemple

• Oui, _____ .

• Non, mais _____ .

## Activité 3

Vous êtes fatigué(e). Regardez les dessins et complétez le dialogue.

> A: Qu'est-ce que tu veux faire maintenant?
>
> B: Je suis fatigué(e).
>    Je peux  .
>
> A: Oui, bien sûr.
>    Tu as besoin de quelque chose?
>
> B: Oui,  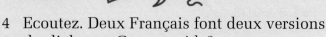 .
>
> A: Mais, bien sûr.

## Activité 4 📼 💬 ✏️

4 Ecoutez. Deux Français font deux versions du dialogue. Ça vous aide?

   a Jouez le dialogue avec votre partenaire. Qui est A? Qui est B?

   b Changez de rôle. Vous êtes toujours poli(e)?

   c Ecrivez le dialogue.

---

# Voici le sommaire

## Objectif 1  Demander les choses nécessaires

Tu as besoin de quelque chose?

Do you need anything?

Pardon, madame.

Excuse me. (to a woman)

Je peux avoir du savon/
du dentifrice/ une serviette,
s'il vous plaît?

Could I have some soap/
some toothpaste/ a towel,
please?

Oui, bien sûr.

Yes, of course.

## Objectif 2  Dire ce que vous voulez faire

Qu'est-ce que tu veux faire?

What do you want to do?

Je peux écouter une cassette?

Can I listen to a cassette?

Je peux regarder une vidéo/ la télé?

Can I watch a video/ television?

Je suis fatigué(e).

I am tired.

Je peux aller au lit/
prendre une douche?

Can I go to bed/
have a shower?

.

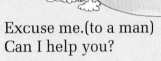

## Objectif 3  Aider votre famille française

Pardon, monsieur.
Je peux vous aider?

Excuse me.(to a man)
Can I help you?

Non, merci.
C'est très gentil, mais ça va.

No, thank you.
That's very kind of you, but it's alright.

Oui, qu'est-ce que tu fais pour
aider ta famille, chez toi?

Yes, what do you do to
help your family at home?

Chez moi, je mets la table/
je débarrasse la table/
je fais la vaisselle.

At home I set the table/
I clear the table/
I wash up.

Je peux faire la vaisselle/
mettre la table/
débarrasser la table?

Can I wash up/
set the table/
clear the table?

Ce serait gentil.

That would be lovely.

# Unité 8
# Les vacances

Un soir, vous allez rendre visite à la famille de votre collègue.
On parle des vacances.
Vous aussi, vous pouvez parler de vos vacances?

## Les objectifs

Dans cette unité, vous allez apprendre à:

**1** dire où vous avez passé vos vacances.

**2** parler de ce que vous avez fait pendant les vacances.

## Objectif 1  Dire où vous avez passé vos vacances

On demande:  Où avez-vous passé vos vacances?

On répond:

J'ai passé mes vacances
en Grèce.

J'ai passé mes vacances
en Nouvelle-Calédonie.

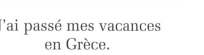

# Où vont les Français?

On a demandé à plusieurs Français:
«Où avez-vous passé vos vacances?»

Voici les réponses.

- J'ai passé mes vacances chez moi.

- J'ai passé mes vacances en Espagne.

- J'ai passé mes vacances en Italie.

- J'ai passé mes vacances à Paris.

- J'ai passé mes vacances en Ecosse.

- J'ai passé mes vacances à Londres.

- J'ai passé mes vacances à Nice.

*Attention!*
*On utilise 'à' avec les villes et 'en' avec les pays.*

 **1** Ecoutez. A l'office du tourisme, il est important de connaître les destinations préférées des Français.

Notez, en anglais, les destinations que vous entendez.

Les destinations préférées des Français sont en France ou à l'étranger?

*Au secours!*
*à l'étranger = dans un autre pays (par exemple, l'Espagne, la Grèce, la Nouvelle-Calédonie).*

 **2** Ecoutez et répétez les phrases:

**a** avec enthousiasme.

**b** sans enthousiasme.

## C'est à vous

**3** Travaillez avec votre partenaire.
Jouez des dialogues.
Le partenaire A pose la question:
«Où avez-vous passé vos vacances?»
Le partenaire B répond.

Exemple

**A:** Où avez-vous passé vos vacances?

**B:** J'ai passé mes vacances en Afrique.

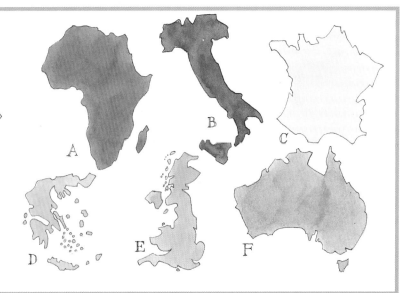

Qu'est-ce que vous avez fait, pendant les vacances?
Vous connaissez déjà beaucoup de phrases.

**1** Regardez cette liste. Les nouvelles phrases sont en rouge.

| | |
|---|---|
| J'ai joué | au tennis<br>au volley-ball<br>au basket<br>au ping-pong<br>au football |
| J'ai visité | Paris<br>des musées<br>des châteaux |
| J'ai été | à la plage<br>en discothèque<br>dans des cafés<br>au restaurant |

## Apprenez les phrases

**2** Recopiez les phrases. Faites deux listes:

**liste A:** les activités sportives

Exemple

J'ai joué au tennis.

**liste B:** les activités non-sportives

Exemple

J'ai été dans des cafés.

**3** Les Français aiment les activités sportives?
Ecoutez la cassette. Cochez les phrases sur vos listes quand vous les entendez.

**4** Ecoutez et répétez:

   **a** avec enthousiasme, les activités que vous aimez.

   **b** sans enthousiasme, les activités que vous n'aimez pas.

   **c** seulement les activités que vous avez faites pendant les vacances.

# Qu'est-ce que vous avez fait, hier?

Aujourd'hui, c'est le 3 août.

Qu'est-ce que vous avez fait, hier?

 **1** Regardez les phrases (A-D). Quand on parle du temps passé, on utilise deux parties du verbe.

> **A** J'ai visité des musées.
>
> **B** J'ai passé mes vacances en Espagne.
>
> **C** J'ai joué au basket.
>
> **D** J'ai été à la plage.

Il est important d'utiliser les deux parties du verbe. Comme cela, on vous comprend bien.

**a** Vous avez recopié deux listes de phrases (voir page 59). Regardez vos listes.

**b** Soulignez les deux parties du verbe pour chaque phrase.

| Voici les deux parties du verbe. | |
|---|---|
| J'ai | passé |
| J'ai | joué |
| J'ai | été |

---

## C'est à vous

**2** Travaillez avec votre partenaire. Jouez des dialogues.

Exemple

**A:** Qu'est-ce que vous avez fait hier?

**B:** J'ai joué au tennis.

Ces dessins vous aident à répondre.

---

**3** Ecoutez le jeu-concours sur la cassette.
Vous êtes fort(e) en géographie?
Vous pouvez compléter les phrases?
Vous avez combien de points?
Vous pouvez inventer un jeu-concours pour votre classe?

# Vos vacances

Maintenant, vous pouvez parler de vos vacances?
Voici encore des phrases essentielles.

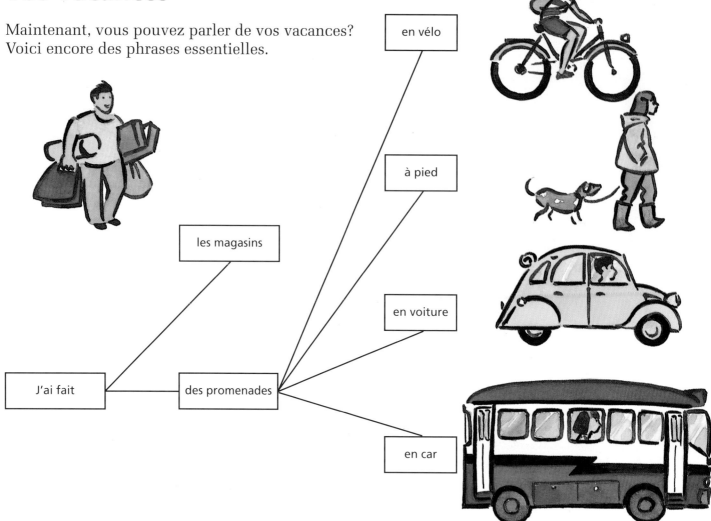

les magasins

en vélo

à pied

en voiture

en car

J'ai fait

des promenades

## Apprenez les phrases

 **1** Recopiez:

  **a** les activités pour les jeunes.

  **b** les activités pour les personnes âgées.

 **2** Ecoutez la cassette.
Vous avez bien choisi les activités pour les jeunes
et pour les personnes âgées?

 **3** Répétez les phrases:

  **a** comme une personne âgée.

  **b** comme un enfant.

## C'est à vous

**4** Travaillez par groupes
de six.

Faites un sondage.
La question:
«Qu'est-ce que vous
avez fait pendant vos
vacances?»

Vos amis aiment les
activités de votre liste A
ou de votre liste B?

Quelles sont les activités
préférées de votre
groupe?

# Une conversation

On peut faire beaucoup de conversations avec cette grille.

 **1** Travaillez avec votre partenaire.
Vous pouvez faire combien de conversations?

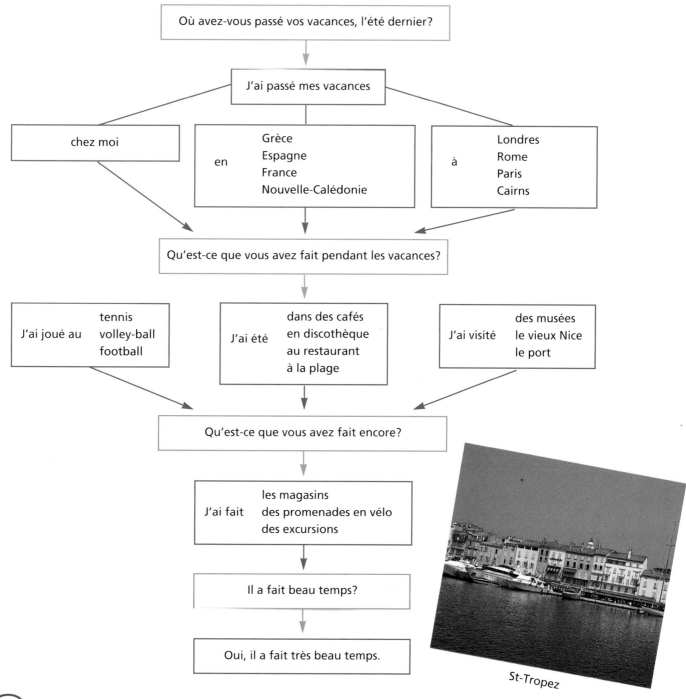

Où avez-vous passé vos vacances, l'été dernier?

↓

J'ai passé mes vacances

| chez moi | en | Grèce / Espagne / France / Nouvelle-Calédonie | à | Londres / Rome / Paris / Cairns |

Qu'est-ce que vous avez fait pendant les vacances?

↓

| J'ai joué au | tennis / volley-ball / football | J'ai été | dans des cafés / en discothèque / au restaurant / à la plage | J'ai visité | des musées / le vieux Nice / le port |

Qu'est-ce que vous avez fait encore?

↓

J'ai fait  les magasins / des promenades en vélo / des excursions

↓

Il a fait beau temps?

↓

Oui, il a fait très beau temps.

*St-Tropez*

 **2** Imaginez! Vous avez passé vos vacances à St-Tropez, en France.
Vous pouvez parler de vos vacances?

 **3** Ecoutez. Deux Français parlent de leurs vacances. Ça vous aide?

# Des vacances à l'étranger

Voici des dépliants pour les vacances.
Vous préférez quelle destination?

Offres spéciales
## MARTINIQUE
au départ de MARSEILLE

**du 30 Mai au 19 Juin et du 5 Septembre au 31 Octobre**
- Population: 360 000 habitants – langues français et créole
- Grande île pleine de contrastes
- Culture: ananas, bananes, figues, citrons, avocats, ignames, choux, piments, cannes à sucre, café, cacao, tabac

Les lieux à visiter:
- le Jardin Zoologique et Botanique
- l'Aquarium
- la Pagerie résidence de Joséphine
- la Maison de la Canne
- Le Musée Vulcanologique

## Objectif
*Offres spéciales*
## LONDRES
*au départ de* **Marseille**
*du 16 Mai au 31 Octobre*

AVION **1,570** F

---

# Prenez le temps de voyager: traversez le Canada en train!

La traversée en train du Canada, c'est 3 jours et 3 nuits à bord du prestigieux train "Le Canadien". Les lacs, les plaines du Manitoba, les montagnes Rocheuses puis Vancouver et l'océan Pacifique défileront devant vous.

---

 **1** Expliquez les trois vacances à un(e) client(e) anglais(e).

 **2** Ecoutez. Deux Français parlent d'une des destinations. C'est quelle destination?

# Voici le sommaire

## Objectif 1  Dire où vous avez passé vos vacances

| | |
|---|---|
| Où avez-vous passé vos vacances? | Where did you spend your holidays? |
| J'ai passé mes vacances... | I spent my holidays... |
| en Grèce/ en Nouvelle-Calédonie/ en Espagne/ en Italie. | in Greece/in New Caledonia/ in Spain/ in Italy. |
| J'ai passé mes vacances chez moi. | I spent my holidays at home. |
| J'ai passé mes vacances... | I spent my holidays... |
| à Paris/ à Londres. | in Paris/ in London. |

## Objectif 2  Parler de ce que vous avez fait pendant les vacances

| | |
|---|---|
| Qu'est-ce que vous avez fait? | What did you do? |
| J'ai joué au tennis. | I played tennis. |
| J'ai joué au ping-pong. | I played table tennis. |
| J'ai visité des châteaux/ des musées. | I visited castles/ museums. |
| J'ai été à la plage. | I went to the beach. |
| J'ai fait les magasins. | I looked round the shops. |
| J'ai fait des promenades... | I went... |
| en vélo/ à pied/ en voiture/ en car. | cycling/ walking/for a run in the car/ on a coach trip. |
| Qu'est-ce que vous avez fait, encore? | What else did you do? |
| Il a fait beau temps? | Was the weather good? |
| Il a fait très beau temps. | The weather was very good. |
| Il a fait chaud/froid. | It was hot/cold. |
| Il a fait mauvais temps. | The weather was poor. |

# Unité 9
## Maisons et appartements

Un soir, la famille où vous habitez, organise un dîner pour vous et vos collègues.
Chacun décrit sa maison.
Vous aussi, vous voulez décrire votre maison.

L'Unité 9 est une unité de révision.
Vous connaissez déjà les phrases essentielles.

## Les objectifs

Dans cette unité, vous allez apprendre à:

**1** dire où vous habitez.

**2** décrire votre maison/appartement.

**3** décrire les pièces de votre maison/appartement.

## Objectif 1  Dire où vous habitez

**1** Quelle phrase correspond à quel dessin?

 **2** Ecoutez. Les invités décrivent où ils habitent. Vous pouvez indiquer le bon dessin?

dans une ville        au bord de la mer

**J'habite**

à la campagne        près de Lyon

**A**

**B**

**D**        **C**

**Unité 9**
65  soixante-cinq

# Objectif 2 Décrire votre maison/appartement

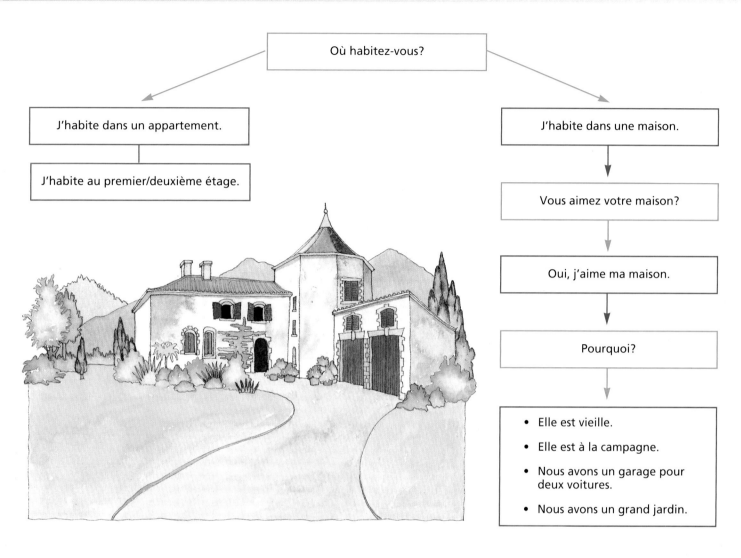

| Où habitez-vous? |
|---|

**J'habite dans un appartement.**

**J'habite au premier/deuxième étage.**

**J'habite dans une maison.**

**Vous aimez votre maison?**

**Oui, j'aime ma maison.**

**Pourquoi?**

- Elle est vieille.
- Elle est à la campagne.
- Nous avons un garage pour deux voitures.
- Nous avons un grand jardin.

Vous voulez décrire votre maison/appartement?

  **1** Regardez le dessin de la vieille maison. Ecoutez et répétez seulement les phrases qui décrivent votre maison ou votre appartement.

 **2** Regardez le dessin de la maison moderne. Décrivez cette maison.

> **C'est à vous**
>
> **3** Et maintenant, votre maison/appartement.
>
> Ecoutez. Vous pouvez répondre aux questions sans arrêter la cassette?

# Objectif 3 Décrire les pièces de votre maison/appartement

Vous connaissez les phrases essentielles pour décrire votre maison/appartement.

Maintenant, vous allez apprendre les phrases pour décrire les pièces de votre maison/appartement.

**1** Voici le plan d'une maison.
Regardez le plan et lisez les descriptions.

**2** Ecoutez. Vous cherchez des maisons et des appartements pour vos clients.
Vous écoutez les descriptions des pièces.

**a** Notez les descriptions, en français, pour vos clients français.

**b** Notez les descriptions, en anglais, pour vos clients anglais.

**c** Cochez les descriptions que vous aimez.

**3** Répétez les descriptions des pièces:

**a** au rez-de-chaussée

**b** au premier étage

**c** que vous aimez.

# Une maison à louer

Vos clients habitent à Nice.
Ils partent en vacances et ils veulent
louer leur maison, à Nice, à des touristes.

UNE MAISON À LOUER

Au secours!

C'est quoi louer?
Les touristes vous donnent une
somme d'argent pour habiter dans
votre maison ou votre appartement
pendant les vacances.

Pour demander à quelqu'un de décrire sa maison/son appartement
il faut poser des questions. Voici les questions nécessaires.

- Où habitez-vous?

- Vous avez une maison ou un appartement?

- Vous aimez votre maison/appartement?

- Vous pouvez décrire votre maison/
appartement?

- Vous habitez à quel étage?

- Vous avez un garage?

- Vous avez un jardin?

  **1** Ecoutez. Vous entendez la description d'une
maison à louer. Notez les détails.

 **2** Voici une autre maison à louer.
Vous pouvez
décrire la maison?
Jouez des
dialogues avec
votre partenaire.
Partenaire A pose
des questions.
Puis changez de
rôle.

**C'est à vous**

**3** Vous pouvez,
maintenant, décrire votre
maison/appartement?

Ecrivez pour l'office du
tourisme, à Nice, une
description de votre
maison/appartement.

# Voici le sommaire

## Objectif 1  Dire où vous habitez

J'habite...
dans une ville/ à la campagne/
au bord de la mer/ près de Lyon.

Où habitez-vous?

I live...
in a town/ in the country/
by the sea/ near Lyon.

Where do you live?

## Objectif 2  Décrire votre maison/appartement

Vous habitez dans une maison/ un appartement?

J'habite dans une maison/ un appartement.

J'habite au premier/ deuxième étage.

Vous aimez votre maison/appartement?

J'aime beaucoup ma maison/ mon appartement.

Pourquoi?

Elle(Il) est moderne/vieille(vieux).

Vous avez un garage/ un jardin?

Nous avons...
un garage pour une voiture./ un grand/petit jardin.

Nous n'avons pas de garage/jardin.

Vous pouvez décrire votre maison/ appartement?

Do you live in a house/ a flat?

I live in a house/ a flat

I live on the first/ second floor.

Do you like your house/flat?

I really like my house/ my flat.

Why?

It is modern/ old.

Do you have a garage/ a garden?

We have...
a single garage./ a big/small garden.

We don't have a garage/garden.

Can you describe your house/flat?

## Objectif 3  Décrire les pièces de votre maison/appartement

Voici...
le salon/ la salle à manger/
la cuisine/ la salle de bains.

Voici ma chambre.

Elle est trop petite.

Nous avons trois chambres.

Voici une autre chambre.

J'aime bien cette chambre.

Elle est très belle.

Et le salon?

Il est bleu avec trois grandes fenêtres.

Je n'aime pas la couleur.

Here is...
the lounge/ the dining-room/
the kitchen/ the bathroom.

Here is my bedroom.

It's too small.

We've got three bedrooms.

Here is another bedroom.

I really like this bedroom.

It's beautiful.

And the lounge?

It's blue with three large windows.

I don't like the colour.

# Unité 10
# Au téléphone

Après avoir travaillé en France, vous rentrez chez vous.
Vous travaillez dans le bureau d'une compagnie importante.

Les clients français téléphonent souvent à votre bureau.
Vous téléphonez aussi en France.

# Les objectifs

Dans cette unité, vous allez apprendre à:

**1** répondre au téléphone.  **2** prendre un message.

### Les phrases essentielles

Répondre au téléphone, ce n'est pas toujours simple.
Voici deux phrases qui vous aident.

- Voulez-vous répéter?   • Vous pouvez parler moins vite?

### Apprenez les phrases

 **1** Ecoutez. Quel(le) collègue comprend bien?
Pourquoi?

 **2** Ecoutez et répétez très distinctement les
deux phrases.

### C'est à vous

**3** Ecoutez.
Vous répondez au
téléphone.

Vous avez besoin
d'aide?

Vous utilisez quelle
phrase?

# Objectif 1 Répondre au téléphone

Quand on vous téléphone de la France, on vous donne souvent le nom et le numéro de téléphone. Ça s'écrit comment?

Il est important de bien comprendre l'alphabet et les numéros.

*Dites-lui que Madame Graf a téléphoné. Mon numéro de téléphone est le 77 32 61 03*

  **1** Ecoutez et répétez l'alphabet.

 **2** Vous téléphonez pour avoir des renseignements sur les hôtels, à Nice, pour votre directeur. Ecoutez et écrivez le nom et l'adresse des hôtels.

 **3** Regardez ces numéros de téléphone. Ecoutez et répétez les numéros après la cassette.

**85 44 32 45**    **93 89 03 60**    **50 23 02 46**

 **4** Vous téléphonez à l'office du tourisme à Monte-Carlo pour avoir des renseignements sur des hôtels pour vos collègues.

Ecoutez et notez le nom, l'adresse, le numéro de téléphone et le numéro de fax des hôtels.

 **5** Vos collègues en France vous téléphonent pour avoir des renseignements sur des hôtels en Grande-Bretagne.

Voici les adresses de deux hôtels.

Vous pouvez dire comment ça s'écrit, le nom des hôtels et l'adresse?

Vous pouvez dire le numéro de téléphone?

**A**

The Glenridding Hotel, Ullswater,
Nr Penrith, CA11 0PB
Tel (07684) 51117

**B**

Salford Hall Hotel, Abbots Salford,
Nr Evesham, WR11 5UT
Tel (0386) 871 300

# Votre première journée

C'est maintenant à vous de répondre au téléphone.

## Les phrases essentielles

- Allô.
- Je voudrais parler à Monsieur White.
- C'est de la part de qui?
- C'est Madame Verbier.
- Un instant, s'il vous plaît.
- Ne quittez pas.
- Je vous le/la passe.

> **Attention!**
> Je vous le/la passe.
> C'est 'le' pour un homme et
> c'est 'la' pour une femme.

> **Au secours!**
> Vous comprenez les phrases?
> Voici trois définitions pour vous aider.
> C'est de la part de qui? = Votre nom, s'il vous plaît? .
> Ne quittez pas. = Un instant.
> Je vous le/la passe. = Voici Monsieur... /Madame...

## Apprenez les phrases

 **1** Ecoutez. On vous téléphone.
On veut parler à qui? Ecrivez le nom.

 **2** Vous téléphonez en France.
Qu'est-ce qu'on vous dit? Ecoutez et indiquez
la bonne photo.

**A**

*Je m'appelle Monsieur Garrant.*

*C'est de le part de qui?*

**B**

*Un instant.
Ne quittez pas, s'il vous plaît*

**C**

*Je vous le/la passe.*

 **3** Il est très important de parler toujours très
distinctement au téléphone.
Ecoutez et répétez les phrases distinctement.

## C'est à vous

**4** Jouez ce dialogue
avec votre partenaire.

**A:** Allô. Ici la compagnie Nestlé.

**B:** Allô. Je voudrais parler à Madame Matthews, s'il vous plaît.

**A:** C'est de la part de qui?

**B:** C'est...

**A:** Un instant, s'il vous plaît. Ne quittez pas. Je vous la passe.

**B:** Merci.

# Objectif 2  Prendre un message

Vous êtes, maintenant, prêt(e) à prendre des messages.

## Les phrases essentielles

**A:** Allô. Ici la compagnie, Shell.

**B:** Allô. Je voudrais parler à Monsieur Roberts, s'il vous plaît.

**A:** Monsieur Roberts n'est pas là, en ce moment.
Voulez-vous laisser un message?

**B:** Oui. Dites-lui que Madame Verdier a téléphoné. Demandez à Monsieur Roberts de me rappeler, s'il vous plaît.

**A:** Oui, vers quelle heure?

**B:** Vers onze heures, s'il vous plaît.

**A:** D'accord, vers onze heures.
Et votre nom?

**B:** Verdier.

**A:** Ça s'écrit comment?

**B:** V-E-R-D-I-E-R.

**A:** Merci, madame.
Et votre numéro de téléphone?

**B:** C'est le 90 23 07 64.

**A:** Alors, le 90 23 07 64?

**B:** Oui, c'est bien ça.

**A:** Merci. Au revoir, Madame Verdier.

Vous comprenez? Ce n'est pas difficile.

## Apprenez les phrases

 **1** Lisez le dialogue.

   **a** Ecrivez les phrases essentielles, en français et en anglais.

   Regardez le sommaire (page 77). Vous avez bien compris toutes les phrases?

   **b** Ecrivez un message pour Madame Verdier.

 **2** Répétez le dialogue après la cassette.

   **a** Vous entendez des personnes qui parlent très bien et très distinctement. Répétez les phrases exactement comme ces personnes.

   **b** Vous entendez des personnes qui ne parlent pas bien au téléphone. Améliorez le dialogue.

> ## C'est à vous
>
> **3** Travaillez avec votre partenaire.
>
> Vous pouvez changer les mots rouges?
>
> Vous pouvez faire combien de dialogues?

# Les messages

Vous répondez, maintenant, à tous les coups de téléphone.
Vous pouvez noter les messages?

 **1** Ecoutez et notez les numéros de téléphone.

 **2** Ecoutez les dialogues et notez qui a téléphoné.
Ecrivez les noms.

 **3** Ecoutez. Il faut rappeler à quelle heure?
Notez l'heure.

 **4** Des clients français arrivent à la gare. Ils vous
téléphonent. Ecoutez et notez l'heure de leur arrivée.

 **5** Votre directeur va en France. Il s'intéresse à une
excursion aux Iles de Lérins. Vous téléphonez
en France pour demander des renseignements.
Ecoutez et notez le jour de l'excursion, l'heure du
départ et le prix de l'excursion.

# Le répondeur téléphonique

> Bonjour.
> Vous êtes bien au 93 81 18 38.
> Vous pouvez me laisser un
> message après le signal sonore.
> Je vais vous rappeler aussitôt
> que possible. Merci.

*un répondeur téléphonique*

 **1** Vous téléphonez en France, mais il n'y a personne. Vous entendez le répondeur.

Ecoutez et lisez le message du répondeur.
Il est bien, le message? Il est sympa ou agressif?

 **2** Vous voulez laisser un message sur votre répondeur téléphonique pour les clients français.

Ecoutez encore une fois et répétez le message ci-dessus.
Mais, attention! Vous êtes sympa ou agressif(ve)?

---

## C'est à vous

**3** Vous téléphonez en France. Il n'y a personne. Ecoutez.
Vous entendez un message sur le répondeur. Vous voulez laisser un message.

  **a** Dites votre nom.

  **b** Dites comment ça s'écrit.

  **c** Demandez qu'on vous rappelle.

  **d** Laissez votre numéro de téléphone.

---

 **4** Ecoutez. Vous entendez d'autres messages sur le répondeur. Ça vous aide?

> **Au secours!**
>
> Parler au téléphone, c'est simple!
>
> - Parlez distinctement.
> - Notez ce que vous voulez dire.
> - Apprenez bien les phrases de cette unité.
>
> **Comment apprendre les phrases?**
>
> - On peut mimer les phrases.
> - On peut dessiner les phrases.
> - on peut dire les phrases.

# Un publiphone

 **1** Vous comprenez tout? Ne regardez pas les symboles.
Vous pouvez expliquer, en anglais, les phrases françaises?

---

### Pour téléphoner

**1 Décrochez**

**2 Introduisez la carte**

**3 Composez le numéro**

---

un publiphone

 **2** Recopiez les phrases dans un ordre différent.
Votre partenaire peut lire les instructions dans le
bon ordre?

 **3** Comment téléphoner en France? C'est simple.

Ecoutez. Les Français font comme ça.
Ça vous aide?

**4** Voici les instructions qu'on trouve dans un
dépliant de France Télécom. Lisez-les.

---

La plupart des cabines télé-
phoniques fonctionnent avec
des 'télécartes'. Où trouver les
télécartes? Dans tous les
bureaux de poste et dans les
bureaux de tabac. Il existe
deux types de télécartes:
à 120 unités (96F) et à 50
unités (40F).

## ROYAUME-UNI

| Composez le 19 → | 44 → | indicatif de la ville appelée, sans le premier zéro. → | le numéro de votre correspondant |
|---|---|---|---|
| ... tonalité | | | |

---

### C'est à vous

**5** Vous pouvez expliquer à
un client français (votre
partenaire) comment on
utilise ce téléphone?

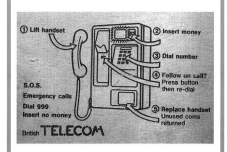

Vous pouvez aussi lui
dire comment on
téléphone en France?

# Voici le sommaire

## Objectif 1  Répondre au téléphone

| | |
|---|---|
| Allô. | Hello. |
| Je voudrais parler à Monsieur... | I'd like to talk to Mr... |
| C'est de la part de qui? | May I ask who's calling? |
| C'est Madame... | It's Mrs... |
| Un instant, s'il vous plaît. | Just one moment, please. |
| Ne quittez pas. | Hold on. |
| Je vous le/la passe. | I'm putting you through to him/her. |
| Voulez-vous répéter, s'il vous plaît? | Could you repeat that, please? |
| Vous pouvez parler moins vite, s'il vous plaît? | Could you speak less quickly, please? |

## Objectif 2  Prendre un message

| | |
|---|---|
| Madame... n'est pas là en ce moment. | Mrs... isn't here at the moment. |
| Voulez-vous laisser un message? | Would you like to leave a message? |
| Dites-lui que Monsieur... a téléphoné. | Tell him/her that Mr... phoned. |
| Demandez à Madame... de me rappeler, s'il vous plaît. | Ask Mrs... to call me back, please. |
| Je note. | I'll make a note. |
| Ça s'écrit comment? | How is that written? |
| Votre numéro de téléphone/fax? | Your telephone/fax number? |
| Vous pouvez me rappeler? | Would you call me back? |
| Vers quelle heure? | At about what time? |
| Vers onze heures. | At about 11 o'clock. |
| Vous êtes bien au 93 81 18 38. | This is 93811838. |
| Vous pouvez laisser un message après le signal sonore. | You can leave a message after the tone. |
| Je vais vous rappeler aussitôt que possible. | I will call you back as soon as possible. |

C'est de la part de qui?

Vous pouvez inventer un dessin amusant?

Vous téléphonez en France pour réserver des chambres dans un hôtel.

## Les objectifs

Dans cette unité, vous allez apprendre à:

**1** réserver des chambres dans un hôtel.

**2** discuter du prix des chambres.

**3** confirmer la réservation des chambres.

### Les phrases essentielles

# Objectif 1  Réserver des chambres dans un hôtel

Vous allez en France avec des collègues.

Ils vous demandent de téléphoner à l'hôtel pour faire des réservations.

## Les phrases essentielles

- Vous avez une chambre de libre?
- Pour le six septembre.
- Pour combien de nuits?
- Pour deux nuits.
- Pour une semaine.

Il est important pour vous de bien connaître les phrases avant de téléphoner.

## Apprenez les phrases.

 **1** Ecoutez. Le receptionniste vous pose seulement une question. Levez la main si vous entendez la question.

 **2** Ecoutez et répétez les phrases:

    **a** après la cassette.

    **b** avec la cassette.

 **3** Vous avez toujours des problèmes?
Des jeunes Français vous aident. Ecoutez et répétez les phrases exactement comme eux.

 **4** Pour faire des réservations, il faut aussi connaître les dates.
Ecoutez. Des clients français vont visiter votre bureau. Notez le nom des clients et les dates de leur visite, en anglais, pour votre directeur.

 **5** Ecoutez et répétez les dates pour les vérifier.

### Exemple

Vous entendez: «Alors, je vais arriver le douze février.»

Vous dites: «Le douze février?»

# Quelle sorte de chambre?

Vous téléphonez pour réserver des chambres différentes pour vos collègues.
Il y a plusieurs sortes de chambres.

## Les phrases essentielles

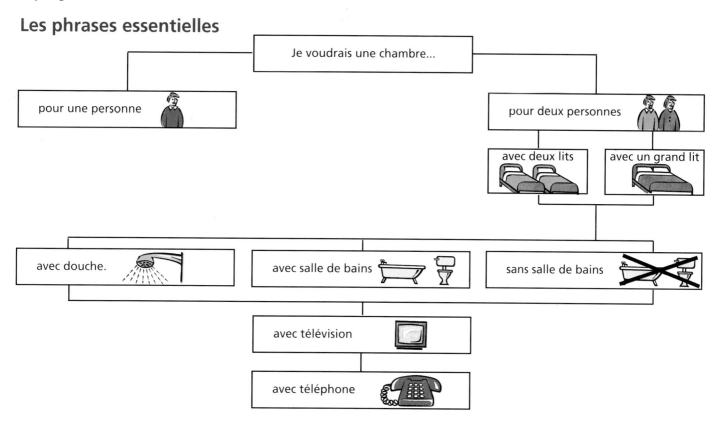

## Apprenez les phrases

 **1** Ecoutez la cassette et dessinez un symbole pour chaque phrase.

 **2** Ecoutez et répétez les phrases, mais très distinctement.
Vous parlez au téléphone.
Vous pouvez parler plus distinctement que les Français?

 **3** Ecoutez et répétez le dialogue:

    **a** après la cassette.

    **b** avec la cassette.

    **c** Jouez le dialogue avec votre partenaire.

| | |
|---|---|
| *La réceptionniste*: | Hôtel Negresco. Bonjour. |
| *Vous*: | Bonjour. Vous avez une chambre de libre pour le huit août? |
| *La réceptionniste*: | Pour combien de nuits? |
| *Vous*: | Pour trois nuits. |
| *La réceptionniste*: | Vous voulez quelle sorte de chambre? |
| *Vous*: | Je voudrais une chambre pour deux personnes avec un grand lit, avec salle de bains et avec télévision, s'il vous plaît. |
| *La réceptionniste*: | D'accord. Et votre nom, s'il vous plaît? |
| *Vous*: | Je m'appelle... |

# Objectif 2 Discuter du prix des chambres

Vous avez beaucoup d'argent?
Il est important, quand on réserve une chambre, de fixer le prix.

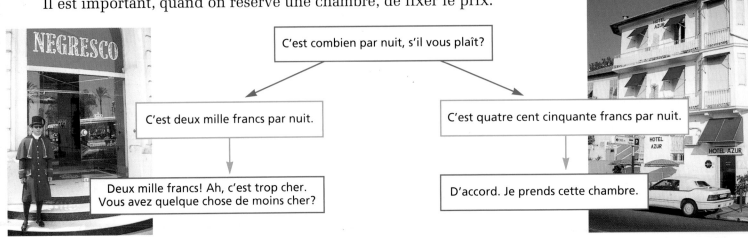

C'est combien par nuit, s'il vous plaît?

C'est deux mille francs par nuit.

C'est quatre cent cinquante francs par nuit.

Deux mille francs! Ah, c'est trop cher.
Vous avez quelque chose de moins cher?

D'accord. Je prends cette chambre.

1 Vous cherchez un hôtel qui ne coûte pas très cher.
Regardez ces renseignements. Vous choisissez
quel hôtel?

2 Vous visitez l'hôtel, La Bastide de St-Tropez, en
octobre. C'est plus ou moins cher qu'en juillet?

## Apprenez les phrases

 3 Ecoutez la cassette. Vous entendez les prix. Ça va?

Oui? Vous faites comme ça.

Non? Vous faites comme ça.

 4 Ecoutez encore une fois et répétez les prix pour
vérifier.

### Exemple

Vous entendez: «Pour une chambre pour une personne avec
salle de bains, c'est deux cents francs par nuit.»

Vous répétez: «Deux cents francs?»

 5 Ecoutez. Vous entendez les phrases.
Si les phrases sont distinctes et polies,
répétez-les.
Sinon, améliorez-les.

**A**

**La Bastide de St-Tropez** ★★★★
Route des Carles 83990 St Tropez
☎ Tél. 94 97 41 23
Ouvert du 5/2 au 31/10          27 chambres
Prix: saison: 1800 à 3200 F
hors saison: 1000 à 2,500 F

**B**

**Tahiti** ★★★
Quartier du Pinet – Plage de Tahiti
83350 St Tropez     ☎ Tél. 94 97 16 75
Ouvert de Pâques à début novembre
20 chambres
Prix: 530 à 1180 F

**C**

**Hôtel de Paris** ★★★
Place de la Croix de Fer          83990 St Tropez
☎ Tél. 94 07 14 32
Ouvert du 10/5 au 30/9          65 chambres
Prix: 400 à 900 F

# Objectif 3 Confirmer la réservation des chambres

Vous avez téléphoné à l'hôtel. On vous demande souvent de confirmer la réservation par lettre ou par fax.

Vous pouvez confirmer la réservation, s'il vous plaît.

Vous pouvez envoyer cent francs d'arrhes, s'il vous plaît?

Attention!
Quand on réserve une chambre en France, on demande parfois des arrhes. Ça veut dire de l'argent payé à l'avance.

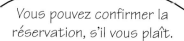 **1** Ecoutez les dialogues sur la cassette.

- Si on demande une confirmation, dessinez un Bic.

- Si on demande aussi des arrhes écrivez: + francs.

**2** Lucy a envoyé un fax pour confirmer sa réservation. Lisez le fax.

```
A l'attention de: Hôtel Tahiti

Fax: 94 97 16 32

De la part de: Lucy Chester
Date: le 6 août

A la suite de notre conversation téléphonique,
je vous écris pour confirmer ma réservation
d'une chambre avec douche pour une personne
pour les nuits du 15 au 18 septembre. Je vous
envoie aussi 200 francs d'arrhes.
```

 **3** Apprenez les mots du message.

**a** Recopiez ce fax.

**b** Mettez votre main sur une partie du fax.

Vous et votre partenaire, vous pouvez toujours lire le fax?

### C'est à vous

**4** Ecrivez un fax vous-même à l'Hôtel Tahiti pour confirmer votre réservation.
Vous pouvez changer tous les mots en rouge?

# Des hôtels

Voici des informations sur un hôtel à Nice.

**Hôtel Rivoli** ★★★

45–47 rue Pastorelli     06000 Nice
Tél. 93 92 69 60

Idéalement situé entre la Place Masséna et Nice-Etoile, à seulement cinq minutes des plages et de la vieille ville, l'Hôtel Rivoli est le lieu parfait pour les vacances. Ses 122 chambres vous offrent tout confort: mini-bar, téléphone direct, télévision satellite et Canal+ et salle de bains. Vous apprécierez les services de l'hôtel: parking, salon, bar, salle de conférence équipée et climatisée (60 places) et surtout sa piscine chauffée.

Et, voici un hôtel en Provence. Vous préférez peut-être cet hôtel?

**Hôtel Alliance Nice - La Gaude**

Le Plan de Bois     06610 La Gaude
Tél. 93 24 47 77

A quelques minutes de l'aéroport Nice, Côte-d'Azur, au cœur des collines provençales, l'Hôtel Alliance Nice - La Gaude, vous propose deux suites et cinquante chambres avec air conditionné, salles de bains, TV satellite, téléphone direct et mini-bar. Et pour vos séminaires? Deux salles de congrès, un service complet de secrétariat, un fax, un télex, ainsi que cent cinquante places de parking contribueront à leur succès. Une piscine, un solarium et une salle de gym sont aussi à votre disposition.

## C'est à vous 💬

1 Travaillez avec votre partenaire.

   **a** Décrivez les hôtels.

   **b** Choisissez un hôtel pour des vacances en France.

   **c** Faites une réservation dans l'hôtel.

# Voici le sommaire

## Objectif 1  Réserver des chambres dans un hôtel

| | |
|---|---|
| Vous avez une chambre de libre? | Have you got a room available? |
| Pour le six septembre. | For September the sixth. |
| Pour combien de nuits? | For how many nights? |
| Pour deux nuits. | For two nights. |
| Pour une semaine. | For one week. |
| janvier/ février/ mars/ avril/ mai/ juin/ juillet/ août/ septembre/ octobre/ novembre/ décembre | January/ February/ March/ April/ May/ June/ July/ August/September/ October/ November/ December |
| Vous voulez quelle sorte de chambre? | What sort of room do you want? |
| Je voudrais une chambre pour une personne. | I would like a single room. |
| Une chambre pour deux personnes, avec deux lits. | A twin room. |
| Une chambre pour deux personnes avec un grand lit. | A double room. |
| Une chambre... avec douche./ sans salle de bains./ avec télévision./ avec téléphone. | A room... with a shower./ without a bathroom./ with a television./ with a telephone. |

## Objectif 2  Discuter du prix des chambres

| | |
|---|---|
| C'est combien par nuit, s'il vous plaît? | How much is it per night, please? |
| C'est huit cents francs par nuit. | It's eight hundred francs per night. |
| C'est trop cher. | That's too expensive. |
| Vous avez quelque chose de moins cher? | Have you anything cheaper? |
| Je prends cette chambre. | I'll take that room. |

## Objectif 3  Confirmer la réservation des chambres

| | |
|---|---|
| Vous pouvez confirmer la réservation, s'il vous plaît? | Would you confirm the booking, please? |
| Vous pouvez envoyer des arrhes, s'il vous plaît? | Would you please send a deposit? |
| Je vous envoie deux cents francs d'arrhes. | I'm sending you a deposit of two hundred francs. |

# Unité 12
## On va où?

Vos collègues français visitent votre pays.
Vous voulez faire beaucoup de choses avec eux.
Qu'est-ce que vous dites?

## Les objectifs

Dans cette unité, vous allez apprendre à:

**1** inviter un(e) collègue à sortir avec vous.

**2** aller au cinéma.

**3** dire ce que vous pensez du film.

## Objectif 1 Inviter un(e) collègue à sortir avec vous

### Les phrases essentielles

**A:** Tu veux sortir, ce soir?

**B:** Oui, on va où?

**A:** On va à la piscine?

**B:** Oui, d'accord. Bonne idée.

**A:** On se rencontre à quelle heure?

**B:** A sept heures.

# Encore des phrases essentielles

• On se rencontre où?

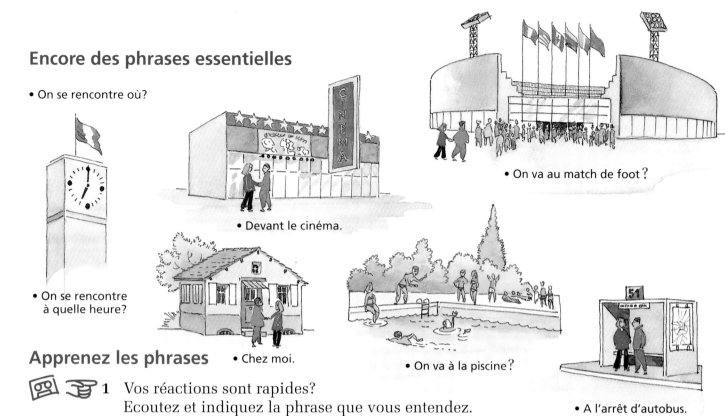

• On va au match de foot?

• Devant le cinéma.

• On se rencontre à quelle heure?

## Apprenez les phrases
• Chez moi.

• On va à la piscine?

 1  Vos réactions sont rapides?
Ecoutez et indiquez la phrase que vous entendez.

• A l'arrêt d'autobus.

2  Vous êtes un bon collègue? Vous invitez vos collègues
à sortir avec vous, avec ou sans enthousiasme?

    **a**  Ecoutez et répétez les phrases exactement comme
les Français.

    **b**  Ecoutez encore une fois et répétez toutes les
phrases d'une manière enthousiaste.

• On va dans un restaurant?

## C'est à vous

3  Vous pouvez compléter ce dialogue?

**A:** Tu v____ s_____ c____ s_____?

**B:** Oui, o____ v____ o____?

**A:** On v____ a____ c_____?

**B:** Oui, d'_____. B _____ i_____.

**A:** O____ se r_____ à q_____ h_____?

**B:** A h_____ h_____.

**A:** O____ se r_____ où?

**B:** A l'_____ d'_____.

# Objectif 2 Aller au cinéma

**1** Vous invitez un(e) collègue français(e) à aller au cinéma avec vous. Regardez ce dialogue. Vous comprenez tout?

A: Tu veux sortir, ce soir?

B: Oui, on va où?

A: On va au cinéma?

B: Bonne idée. On se rencontre où?

A: A l'arrêt d'autobus.

B: On se rencontre à quelle heure?

A: A sept heures.

B: D'accord, le film commence à quelle heure?

A: A sept heures et demie.

B: Il finit à quelle heure?

A: Il finit vers dix heures.

 **2** Ecoutez les Français. Ils sont sympathiques? Qui est le plus sympathique, la jeune femme ou le jeune homme?

 **3** Ecoutez le dialogue encore une fois et répétez:

    **a** d'une manière normale.

    **b** d'une manière très sympathique!

## C'est à vous

**4** Jouez le dialogue avec votre partenaire.

Vous êtes sympathiques?

**Unité 12**

# Quel film?

Mais... vous aimez quelle sorte de film?

## Les phrases essentielles

• Qu'est-ce qu'on joue?

• On a le choix.

Il y a...

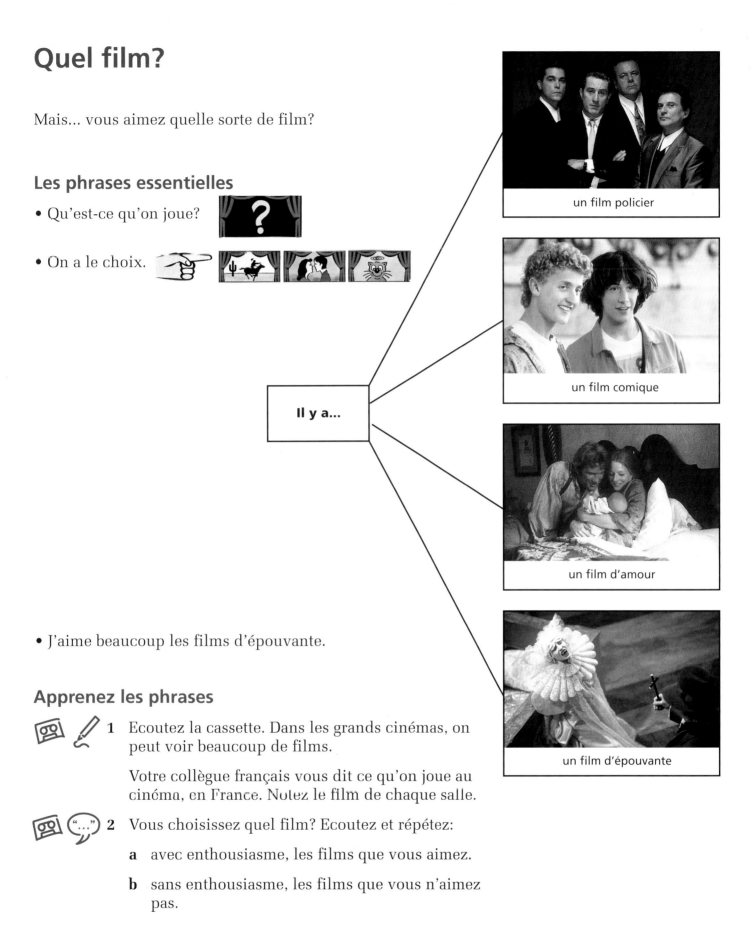

un film policier

un film comique

un film d'amour

un film d'épouvante

• J'aime beaucoup les films d'épouvante.

## Apprenez les phrases

1 Ecoutez la cassette. Dans les grands cinémas, on peut voir beaucoup de films.

Votre collègue français vous dit ce qu'on joue au cinéma, en France. Notez le film de chaque salle.

2 Vous choisissez quel film? Ecoutez et répétez:

   **a**  avec enthousiasme, les films que vous aimez.

   **b**  sans enthousiasme, les films que vous n'aimez pas.

# Objectif 3 Dire ce que vous pensez du film

**Nuits Blanches à Seattle**

Quand Annie (Meg Ryan) entend Sam (Tom Hanks) à la radio, elle tombe amoureuse de lui. Mais il ne la connaît pas. Leur histoire est à la fois amusante et très romantique.

**Wayne's World**

Wayne's World raconte les expériences comiques et bizarres de Wayne et de ses amis.

Un collègue français a vu beaucoup de vidéos. Il dit ce qu'il pense des films.

## Les phrases essentielles

- J'ai vu une vidéo hier soir.

- Oui, c'était super!

- C'était génial!

- Alors, c'était bien?

- Non. C'était ennuyeux.

- C'était nul.

## Apprenez les phrases

 **1** Ecoutez. Votre collègue dit ce qu'elle pense des vidéos.

    **a** Recopiez les titres des films.

    **b** Ecoutez et notez si les films sont bons ou non.

Exemple

*Le Ballon d'Or*

*C'était ennuyeux.*

 **2** Ecoutez et répétez les phrases de façon expressive!

---

**C'est à vous**

**3** Regardez ces photos.

**A**           **B**

    **a** Que pensent les personnes, des films qu'elles ont vus?

    **b** Ecoutez. Vous avez raison?

---

# Jouez et gagnez

 **1** Voici des messages en code.

   **a** Ecrivez correctement ces messages.

   **A**

   PO WB B MB QJTDJOF?
   KF WBJT B MB EJTDPUIFRVF?

   **B**

   ELLIV NE AV NO?
   AMENIC UA RELLA SIARDUOV EJ?

   **C**

   15,14   22,1   4,1,14,19   21,14
   18,5,19,20,1,21,18,1,14,20?

   **b** Ecrivez un message en code pour inviter votre
   partenaire à sortir avec vous.

 **2** Ecoutez le dialogue au téléphone.
   Vous entendez seulement une personne.
   Que dit l'autre personne? Vous pouvez deviner?
   Ecrivez le dialogue en entier.

 **3** Ecoutez le dialogue. Votre dialogue est correct?

 **4** On se rencontre où? Ecoutez et notez les
   détails, en anglais.

 **5** Regardez les dessins.
   Imaginez un dialogue qui va avec.

   **a** Vous pouvez jouer le dialogue devant la classe?

   **b** Ecoutez. Des Français font un dialogue. Ça vous aide?

# Je n'aime pas ça!

Je vais au cinéma. Tu veux venir?

Pas tellement, je préfère aller en ville.

Vous voyez, il n'est pas toujours simple d'inviter un(e) ami(e) à sortir avec vous!

Voici un dialogue pour vous aider.

**A:** Je vais à la plage. Tu veux venir?

**B:** Pas tellement.

**A:** On va à la piscine?

**B:** Non, je préfère aller en ville.

**A:** On va dans un restaurant?

**B:** Moi, je voudrais faire les magasins. Tu veux venir?

**A:** Oui, d'accord. Bonne idée. Et après ça, on va dans un restaurant?

**B:** Oui, d'accord.

  **1** Ecoutez la cassette et lisez le dialogue.

    **a** Ecoutez et répétez après A.

    **b** Ecoutez et répétez après B.

**2** Jouez le dialogue avec votre partenaire.

C'est à vous

**3** Inventez un dialogue avec votre partenaire. Vous pouvez changer tous les mots en rouge?

# Voici le sommaire

## Objectif 1  Inviter un collègue à sortir avec vous

| | |
|---|---|
| Tu veux sortir, ce soir? | Do you want to go out this evening? |
| On va où? | Where shall we go? |
| On va à la piscine? | Shall we go to the swimming pool? |
| On va au cinéma? | Shall we go to the cinema? |
| On va au match de foot? | Shall we go to the football match? |
| Oui, d'accord. | Yes, OK. |
| Bonne idée. | Good idea. |
| On se rencontre à quelle heure? | What time shall we meet? |
| On se rencontre où? | Where shall we meet? |
| A l'arrêt d'autobus. | At the bus stop. |
| Je voudrais aller au cinéma. | I'd like to go to the cinema. |
| Et toi? | And you? |
| Je vais au cinéma. | I'm going to the cinema. |
| Tu veux venir? | Do you want to come? |

## Objectif 2  Aller au cinéma

| | |
|---|---|
| Le film commence à quelle heure? | What time does the film start? |
| A sept heures et demie. | At half past seven. |
| Il finit à quelle heure? | What time does it finish? |
| Vers dix heures. | At about ten o'clock. |
| Qu'est-ce qu'on joue? | What's on? |
| On a le choix. | There's a choice. |
| Un film policier/ Un film comique | A detective film/ A comedy |
| Un film d'amour/ Un film d'épouvante | A romantic film/ A horror film |

## Objectif 3  Dire ce que vous pensez du film

| | |
|---|---|
| C'était super! | It was super! |
| C'était génial! | It was great! |
| C'était ennuyeux. | It was boring. |
| C'était nul. | It was rubbish. |
| Pas tellement. | Not particularly. |
| Je préfère aller en ville. | I'd prefer to go in to town. |

Vendredi arrive. Le travail est fini. C'est le week-end!
Qu'est-ce que vous faites, le week-end?

L'Unité 13 est une unité de révision.

## Les objectifs

Dans cette unité, vous allez apprendre à parler de ce que:

**1** vous faites
le week-end.

**2** vous aimez faire.

**3** vous avez fait
le week-end dernier.

## Objectif 1 Parler de ce que vous faites, le week-end

### Les phrases essentielles

Vous demandez à vos collègues français: «Qu'est-ce que vous faites, le week-end?»

Voici des réponses.

• Je fais du vélo.

• Je regarde la télé.

• Je vais à la pêche.

• Je joue au tennis.

**Unité 13**
93 quatre-vingt-treize

## Apprendre les phrases

Vous connaissez déjà beaucoup de phrases. Vous pouvez
faire encore des phrases avec ces dessins.

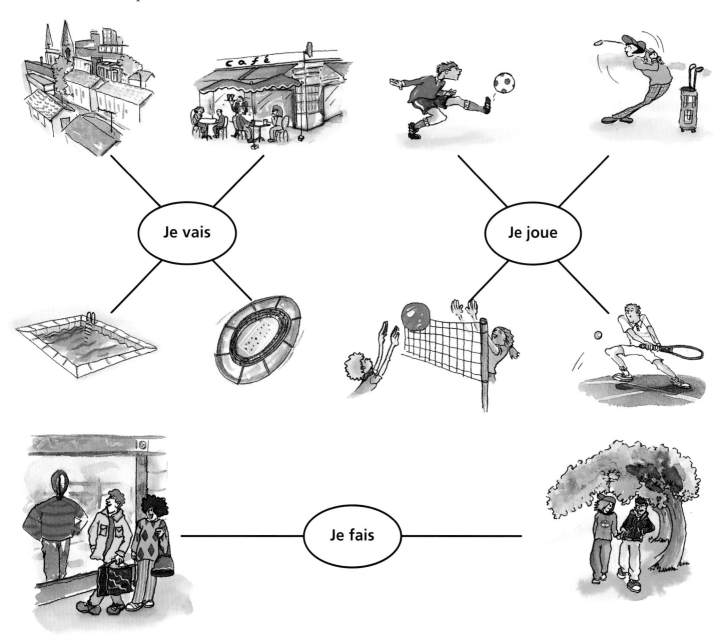

  1 Ecoutez. Que font vos collègues français, le week-end?
Notez leurs réponses.

Au secours!
Ecoutez la cassette et
jouez les phrases.

2 Choisissez quelque chose que vous faites, vous aussi.
Puis répondez à la question: Qu'est-ce que vous faites,
le week-end?

# Objectif 2  Parler de ce que vous aimez faire

Vous voulez sortir le week-end avec des collègues français.
Il est important de savoir ce qu'ils aiment faire le week-end.
Vous demandez: «Qu'est-ce que vous aimez faire?»

## Apprendre les phrases

 **1**  Voici quelques réponses.
Vous pouvez compléter toutes les réponses?

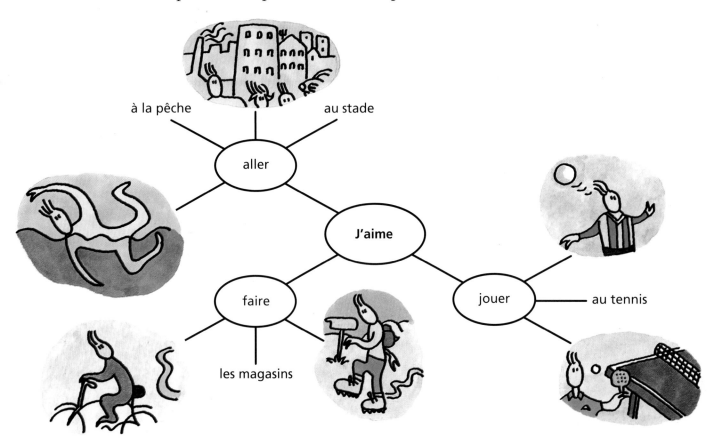

à la pêche   au stade
aller
J'aime
faire   jouer   au tennis
les magasins

 **2**  Ecoutez. Un ami pose la question: «Qu'est-ce que vous aimez faire?» à vos collègues français. Notez les réponses.

Exemple

1 tennis

Quelle est l'activité préférée des Français?

 **3**  Ecoutez et répétez, mais seulement les activités que vous aimez.

---

**C'est à vous**

**4**  Posez la question: «Qu'est-ce que vous aimez faire?» à cinq élèves de votre classe et notez les réponses.

Quelle est l'activité préférée?

---

**Unité 13**

# Objectif 3  Parler de ce que vous avez fait, le week-end dernier

Pour organiser un super week-end, il est important aussi, de choisir pour vos amis une activité différente du week-end dernier.

## Les phrases essentielles

Alors, vous demandez d'une manière polie: «Qu'est-ce que vous avez fait, le week-end dernier?»
Vous connaissez déjà beaucoup de réponses.

Exemple

*J'ai fait les magasins.*

*Après tout, on n'aime pas aller dans les musées tous les week-ends!*

## Encore des phrases utiles

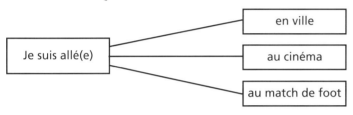

Je suis allé(e)
- en ville
- au cinéma
- au match de foot

## Apprendre les phrases

 **1**  Qu'est-ce qu'on peut faire ce week-end?

**a**  Voici une liste d'activités que vous proposez aux Français.

**b**  Ecoutez. Les Français disent ce qu'ils ont fait le week-end dernier. Ils ont déjà fait toutes les activités que vous proposez?

1 Le château
2 La campagne
3 Le café
4 Un match de foot
5 Le cinéma
6 Un musée

 **2**  Ecoutez et répétez ce dialogue.

> **A:**  Alors, qu'est-ce que vous aimez faire?
>
> **B:**  J'aime aller en ville et j'aime aller au cinéma.
>
> **A:**  Ah bon, et qu'est-ce que vous avez fait, le week-end dernier?
>
> **B:**  Je suis allé(e) en ville et je suis allé(e) au cinéma!
>
> **A:**  Et qu'est-ce que vous faites, ce week-end?
>
> **B:**  Je vais au cinéma. Et vous?
>
> **A:**  Mais non, je déteste le cinéma!

 **3**  Jouez le dialogue avec votre partenaire.

### C'est à vous

**4**  Vous pouvez changer les activités.

Vous pouvez faire combien de dialogues en trois minutes?

Quelle est l'activité préférée?

# Jouez et gagnez

Vous êtes toujours fort(e) en géographie?
Vous entendez un jeu-concours à la radio.

  **1** Ecoutez la cassette. Les Français disent ce qu'ils ont fait pendant les vacances.

Vous pouvez dire les noms des pays qu'ils ont visités? Ecoutez et essayez de donner les réponses avant les Français.

Exemple

1 *Je suis allé(e) en France.*

---

## C'est à vous

**2** Faites un quiz similaire avec votre partenaire.

Exemple

**A:** Madrid.

**B:** *Je suis allé(e) en Espagne.*

---

 **3** Recopiez ces deux phrases, mais correctement.

**A** | Jes | uisal | léee | nvi | lle.

**B** | Jesui | sall | éaum | atc | hdef | oot.

A

B

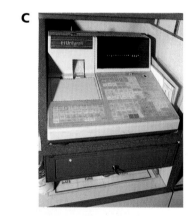

C

B

  **4** Qu'est-ce que vous avez fait, le week-end dernier?

Exemple

A *Je suis allé(e) dans un restaurant.*

# Voici le sommaire

## Objectif 1 Parler de ce que vous faites le week-end

| | |
|---|---|
| Qu'est-ce que vous faites, le week-end? | What do you do at weekends? |
| Je vais en ville/ à la pêche. | I go to town/fishing. |
| Je joue au tennis. | I play tennis. |
| Je regarde la télé. | I watch television. |
| Je fais du vélo. | I go cycling. |

## Objectif 2 Parler de ce que vous aimez faire

| | |
|---|---|
| Qu'est-ce que vous aimez faire? | What do you like doing? |
| J'aime aller au stade. | I like to go to the sports stadium. |
| J'aime faire des promenades. | I like to go walking. |
| J'aime jouer au ping-pong. | I like to play table tennis. |

## Objectif 3 Parler de ce que vous avez fait, le week-end dernier

| | |
|---|---|
| Qu'est-ce que vous avez fait, le week-end dernier? | What did you do last weekend? |
| J'ai été dans un café. | I went to a café. |
| J'ai fait les magasins. | I looked around the shops. |
| J'ai visité un musée. | I visited a museum. |
| Je suis allé(e) en ville/ au match de foot. | I went into town/ to a football match. |

Vos amis français passent le week-end chez vous.
Il est important qu'ils s'amusent bien.

## Les objectifs

Dans cette unité, vous allez apprendre à:

**1** souhaiter la bienvenue à votre ami(e).

**2** recevoir votre ami(e) chez vous.

## Objectif 1 Souhaiter la bienvenue à votre ami(e)

Bonjour, et bienvenue chez moi. Entre donc!

## Les phrases essentielles

- Bonjour et bienvenue chez moi.
- Entre donc!
- Assieds-toi!
- Ça va?
- Tu as fait un bon voyage?
- Oui, merci, j'ai fait un très bon voyage.

- Je te présente ma mère.
- Voici mon père.
- Enchanté(e).
- Voici ta chambre.
- Merci, elle est très belle.
- Fais comme chez toi.

## Apprenez les phrases

 **1** Recopiez ces phrases dans l'ordre où vous allez les utiliser quand un(e) ami(e) vient chez vous.

 **2** Il est très important de dire les phrases d'une manière amicale. Ecoutez la cassette et cochez seulement les phrases, qu'on dit d'une manière amicale.

 **3** Ecoutez et répétez les phrases comme les deux Français. Ils parlent d'une manière amicale, oui ou non?

**A**

**B**

 **C'est à vous**

**4** Travaillez avec votre partenaire. Utilisez les phrases essentielles pour jouer un dialogue.

**a** Vous recevez votre ami(e) chez vous.

**b** C'est vous, l'ami(e)!

# Objectif 2  Recevoir votre ami(e) chez vous

Votre ami(e) est chez vous.

## Apprenez les dialogues

 **1** Regardez la bande dessinée et lisez les petits
dialogues.

    **a**  Recopiez les petits dialogues.

    **b**  Ecoutez le dialogue sur la cassette.
Vous entendez les petits dialogues mais pas
dans le même ordre.

    **c**  Ecrivez un numéro (1-6) à côté de chaque petit
dialogue dans l'ordre où vous les entendez.

    **d**  Ecrivez, maintenant, le dialogue en entier.

    **e**  Répétez le dialogue.

    **f**  Jouez le dialogue avec votre partenaire.

## C'est à vous ✎ 💬 📼

2 Voici encore un dialogue avec des symboles.

    **a** Vous pouvez compléter le dialogue avec votre partenaire?

    **b** Vous pouvez changer les noms, si vous voulez.

    **c** Ecoutez la cassette. Vous avez inventé le bon dialogue?

*Anne:* Bonjour, Jean, et bienvenue chez moi.

*Jean:* Bonjour, Anne.

*Anne:* Entre donc et  .

*Jean:* Merci.

*Anne:* Alors, ça va?

*Jean:* Oui, ça va bien, merci. Et toi?

*Anne:* Oui,  . Tu as fait un bon voyage?

*Jean:* Oui, j'ai fait 🚢 SEALINK ☀ .

*Anne:* Je te présente mon père.

*Jean:* Bonjour, monsieur. Enchanté.

*Anne:* 🍽🍽 ?

*Jean:* Pas tellement, merci.

*Anne:* ☕ ?
Tu veux boire quelque chose?

*Jean:* Oh oui, je voudrais bien un café, s'il te plaît.

*Anne:* Bien. 📼 ?

*Jean:* Non, merci. Je suis fatigué. Je voudrais aller au lit. Tu te lèves à quelle heure?

*Anne:* Vers 🕐 le week-end. Voici ta chambre.

*Jean:* Merci, elle est très belle.

*Anne:* Merci. Bonne nuit.

*Jean:* Bonne nuit.

# Voici le sommaire

## Objectif 1 Souhaiter la bienvenue à votre collègue

| | |
|---|---|
| Bienvenue. | Welcome. |
| Entre donc! | Do come in. |
| Assieds-toi! | Sit down. |
| Ça va? | How are you? |
| Tu as fait un bon voyage? | Did you have a good journey? |
| Oui, merci, j'ai fait un très bon voyage. | Yes, thank you, I had a very good journey. |
| Je te présente ma mère. | May I introduce my mother. |
| Voici mon père. | Here is my father. |
| Enchanté(e). | Pleased to meet you. |
| Voici ta chambre. | Here is your bedroom. |
| Merci, elle est très belle. | Thank you, it is very nice. |
| Fais comme chez toi. | Make yourself at home. |

## Objectif 2 Recevoir votre collègue chez vous

| | |
|---|---|
| Tu as faim? | Are you hungry? |
| Pas tellement, merci. | Not particularly, thank you. |
| Tu veux manger quelque chose? | Would you like something to eat? |
| Je n'ai pas très faim. | I'm not very hungry. |
| Tu as soif? | Are you thirsty? |
| Tu veux boire quelque chose? | Would you like something to drink? |
| J'ai soif. | I'm thirsty. |
| Je voudrais bien un café, s'il te plaît. | I'd really like a coffee, please. |
| Tu veux écouter de la musique/ regarder la télé? | Would you like to listen to some musique/ watch the television? |
| Je préfère écouter de la musique. | I'd prefer to listen to some music. |
| Tu te couches à quelle heure? | What time do you go to bed? |
| Je me couche vers dix heures et demie. | I go to bed at about half past ten. |
| Tu te lèves à quelle heure? | What time do you get up? |
| Pendant la semaine/ le week-end, je me lève à neuf heures. | During the week/ at the weekend, I get up at nine o'clock. |

# Moi, je suis super!

## Bravo!
### Vous avez fini.
### Vous parlez bien français.

 **1** Regardez ces photos.

   **a** Vous pouvez inventer combien de dialogues avec votre partenaire?

   **b** Ecoutez. Les Français jouent les dialogues. Ça vous aide?

## Encore des dialogues

   **2** Vous pouvez jouer des dialogues?

Imaginez. Vous êtes à Nice. Vous rencontrez un collègue en ville. Vous allez dans un café avec votre collègue. Vous parlez de quoi?

   **A** Ma famille

   **B** Ma maison

   **C** Mes vacances

   **D** Ce que j'aime faire.

Vous pouvez parler pendant cinq minutes?

# La grammaire

**1** How do I say **"I am"** and **"I have"**? (see *Unité* 2)

- **je suis** = I am
  Je suis super!

- **j'ai** = I have
  J'ai un frère.

**2** How do I say **"he is"** and **"she is"**? (see *Unité* 2)

- **il est** = he is
  Il est sympa.

- **elle est** = she is
  Elle est grande.

| je suis | j'ai |
|---------|--------|
| il est | il a |
| elle est | elle a |

**3** How do I say **"she has"** and **"he has"**? (see *Unité* 2)

- **elle a** = she has
  Elle a les yeux bleus.

- **il a** = he has
  Il a les cheveux bruns.

**4** How do I say **"I can"**? (see *Unité* 7)

- **je peux** = I can
  Je peux regarder la télé, s'il vous plaît?

**5** If you want to say **"people can"**, you use **on peut**. (see *Unité* 4)

- On peut jouer au tennis.

- On peut faire des promenades.

| je peux |
|---------|
| on peut |

**6** At what other times can I use **on**? (see *Unité* 12)

- **On** can also mean **"we"**.
  **On va au cinéma?** = Shall we go to the cinema?

- You can also use **on** when you are making arrangements to meet someone.
  **On se rencontre quand?** = When shall we meet?

**7** How do I say **"I like to do something"**? (see *Unité* 13)

- **j'aime** = I like/love
  J'aime faire du vélo.
  J'aime jouer au tennis.

**8** How do I ask someone what they want to do? (see *Unité* 7)

- **tu veux…?** = you want…?
  Tu veux aller à la plage?
  Tu veux boire quelque chose?

**9** When do I use **vous**? (see *Unité* 7) You use **vous**, when you are talking to someone who you do not know very well, for example to business colleagues and adults who are not close friends.

**10** How do I tell people what I have done in the past? (see *Unité* 8)

You use a special form of the verb. This form must consist of two parts.

- | j'ai | passé | = I have spent/I spent

  J'ai passé mes vacances à Paris.
  J'ai visité des musées.

**11** When do I use **je suis** to form the past? (see *Unité* 13) If you want to use **aller**.

- **je suis allé(e)** = I went/I have gone
  Je suis allée en ville, ensuite je suis allée au match de foot.
  Je suis allé en ville, ensuite je suis allé au match de foot.

# Les numéros

| | | | |
|---|---|---|---|
| un/une | one | vingt | twenty |
| deux | two | vingt et un | twenty-one |
| trois | three | vingt-deux | twenty-two |
| quatre | four | trente | thirty |
| cinq | five | quarante | fourty |
| six | six | cinquante | fifty |
| sept | seven | soixante | sixty |
| huit | eight | soixante-dix | seventy |
| neuf | nine | soixante et onze | seventy-one |
| dix | ten | soixante-douze | seventy-two |
| onze | eleven | quatre-vingts | eighty |
| douze | twelve | quatre-vingt-un | eighty-one |
| treize | thirteen | quatre-vingt-dix | ninety |
| quatorze | fourteen | quatre-vingt-onze | ninety-one |
| quinze | fifteen | cent | a hundred |
| seize | sixteen | cent un | a hundred and one |
| dix-sept | seventeen | trois cents | three hundred |
| dix-huit | eighteen | trois cent un | three hundred and one |
| dix-neuf | nineteen | mille | a thousand |
| | | un million | a million |

# Le petit dictionnaire

## A

**à**  to
**à cause de**  because of
**à côté de**  next to
**à votre disposition**  at your disposal
**acheter**  to buy
**agé(e)**  old
**agréable**  pleasant
**aider**  to help
**aimer**  to like
**aller**  to go
**aller rendre visite à**  to visit
**aller voir**  to go and see
**en alternance**  alternately
**améliorer**  to improve
**un(e) ami (e)**  a friend
**s'amuser**  to amuse oneself
**les annonces** (f) the announcements
**un appareil supplémentaire**  an extension (electric)
**apprécier**  to appreciate
**apprendre**  to learn
**apprendre par cœur**  to learn by heart
**après ça**  after that
**après tout**  after all
**l'argent** (m)  money
**un arrêt d'autobus**  a bus stop
**arrêter**  to stop
**arriver**  to arrive
**attendre**  to wait
**au-dessus**  above
**au sujet de**  about, concerning
**aussi**  also
**autre**  other
**avant**  before
**avec**  with
**en avion**  by plane

## B

**une BD (bande-dessinée)**  a cartoon

**en bas**  at the bottom (i.e. of the page)
**beau/belle**  lovely
**beaucoup**  lots of, many
**le besoin**  need
**avoir besoin de**  to need
**un bic**  a biro
**bien**  well
**un billet**  a ticket (train)
**une boisson**  a drink
**bon/bonne**  right, correct
**un bureau**  an office

## C

**un cahier**  an exercise book
**une caractéristique physique**  a physical characteristic
**un carnet**  a book of tickets (i.e. for bus or tube)
**une carte**  a map
**celui/celle-ci**  this one
**changer**  to change
**un chapeau**  a hat
**chaque**  each, every
**charmant(e)**  charming
**chauffé(e)**  heated
**chercher**  to look for
**chez**  with, at the house of
**chez vous**  with you, at your house
**une chose**  a thing
**un(e) client(e)**  a customer
**climatisé(e)**  air-conditioned
**par cœur**  by heart
**une colline**  a hill
**combien de fois?**  how often?
**comme**  like
**comme ça**  like that
**commencer**  to start
**comment**  how
**composter**  to stamp
**comprendre**  to understand
**un conducteur**  a driver
**confirmer**  to confirm

**tout confort**  all facilities
**un congrès**  a conference
**connaître**  to know
**corriger**  to correct
**un coup de téléphone**  telephone call
**coûter**  to cost
**un crayon**  pencil

## D

**une dame**  a lady
**dans**  in
**dans le bon ordre**  in the right order
**décider**  to decide
**décrire**  to describe
**vous décrivez**  you describe
**le déjeuner**  lunch
**demander**  to ask
**un dépliant**  a brochure
**dernier/dernière**  last
**un dessin**  a drawing
**devant**  in front of
**vous devez**  you must
**deviner**  to guess
**devoir**  to have to
**dire**  to say
**distinctement**  clearly
**diviser**  to divide
**donner**  to give
**dont**  of which, whose

## E

**un(e) employé(e)**  an employee
**en alternance**  alternately
**en avion**  by plane
**en bas**  at the bottom (i.e. of the page)
**encore un peu**  a bit more
**en entier**  as a whole
**un(e) enfant**  a child
**enfin**  at last
**ennuyeux(se)**  boring
**enregistrer**  to record

**enseigner** to teach
**l'enthousiasme** (*m*) enthusiasm
**entier/entière** whole, complete
**entièrement** entirely, completely
**j'envoie** I send
**envoyer** to send
**l'équivalent** (*m*) the equivalent
**essayer** to try
**en été** (*m*) in summer
**eux** them
**un examen** an exam
**un extrait** an extract

**F**

**facultatif(ve)** optional
**faire attention à** to pay attention to
**une femme** a woman
**fermer** to close
**une fiche** a form
**j'ai fini** I have finished
**finir** to finish
**fixer** to fix
**une fois** once
**deux fois** twice
**fort(e)** strong

**G**

**gagner** to win
**une glace** an ice cream
**Grande-Bretagne** Great Britain
**gratuit(e)** free (of charge)
**une gravure** an engraving
**une grille** a grid

**H**

**habiter** to live
**heures d'ouverture** opening hours
**hier** yesterday
**un homme** a man
**un horaire** a timetable

**I**

**ici** here
**il n'y a personne** there is no-one
**il y a** there is, there are
**une image** a picture
**impatient(e)** impatient
**s'intéresser à** to be interested in
**inventer** to invent
**un(e) invité(e)** a guest

**J**

**un jeu-concours** a competition
**jeune** young
**jouer** to play
**une journée** a day

**L**

**laisser** to leave, let
**un lave-vaisselle** a dishwasher
**lentement** slowly
**une lettre** a letter
**un lieu** a place
**lire** to read
**vous lisez** you read
**il/elle lit** he/she reads
**un lit** a bed
**louer** to let
**de luxe** luxurious

**M**

**une main** a hand
**une manière** a manner
**une maquette** a model
**marqué(e)** marked
**mauvais(e)** bad
**même** same
**la même chose** the same thing
**de la même manière** in the same way
**un message codé** a coded message
**mimer** to mime
**un monsieur** a gentleman

**montrer** to show
**un morpion** a crossword

**N**

**un nom** a name
**une note** a mark
**noter** to note
**un numéro** a number

**O**

**un office du tourisme** a tourist office
**on peut** one can (see *pouvoir*)
**où?** where?
**oublier** to forget

**P**

**un palais** a palace
**un panneau** a sign
**par** by
**par ligne** line by line
**parfait(e)** perfect
**parler** to speak
**passer** to spend
**un pays** a country
**le paysage** the countryside
**pendant cinq minutes** for five minutes
**pendant que** while
**permettre** to allow
**une petite-fille** a granddaughter
**un petit-fils** a grandson
**peut-être** perhaps
**on peut** one can (see *pouvoir*)
**une pièce de monnaie** a coin
**plus de** more than
**plusieurs** several
**poli(e)** polite
**la politesse** politeness
**poser la question** to ask the question
**pourquoi?** why?
**pouvoir** to be able to

préféré(e)  favourite
premier/première  first
prendre  to take
vous prenez  you take
prêt(e)  ready
le prix  the price
une promenade  a walk
proposer  to suggest

## Q

quand  when
quelle sorte de  what sort of
quelle surprise!  what a surprise!
quelque  some
quelque chose  something
qui  who
quoi?  what?

## R

recommander  to recommend
une règle  a ruler
remercier  to thank
rencontrer  to meet
renommé(e)  famous
des renseignements  information
rentrer  to return (home)
il/elle répond  he/she replies
répondre  to reply
un répondeur téléphonique  an
    answer-phone
ressembler  to resemble
rouge  red
une rue  a road

## S

s'amuser  to enjoy oneself
sait  see *savoir*
sauf  except
savoir  to know (something)
un séminaire  a lecture
seulement  only
sinon  if not
s'intéresser à  to be interested in

une soirée  an evening
le soleil  the sun
un sondage  a survey
sortir  to go out
souvent  often
un stylo  a pen
suivant(e)  following
un supermarché  a supermarket
un symbole  a symbol
sympathique(s)  nice/friendly

## T

la tête  the head
un titre  a title
la tonalité  the dialling tone
toujours  still, always
tout  all
le travail  the work
travailler  to work
trouver  to find

## U

utiliser  to use

## V

il/elle va  he/she goes/is going
une valise  a suitcase
venir  to come
il/elle vient  he/she comes/is
    coming
vérifier  to confirm
ils/elles veulent  they want
il/elle veut  he/she wants
vieux/vieille  old
voici  here is, here are
voir  to see
vous voulez  you want
vouloir  to want
un(e) voyageur(se)  a passenger

## Y

les yeux  the eyes

Lancaster and Morecambe
College Library